Jean-Pierre Derriennic

Nationalisme et Démocratie
Réflexion sur les illusions des
indépendantistes québécois

Boréal

Les Éditions du Boréal sont inscrites au Programme de subvention du Conseil des Arts du Canada.

Conception graphique : Gianni Caccia

©Les Éditions du Boréal
Dépôt légal : 1er trimestre 1995
Bibliothèque nationale du Québec

Diffusion au Canada : Dimedia
Diffusion et distribution en Europe : Les Éditions du Seuil

Données de catalogage avant publication (Canada)

Derriennic, Jean-Pierre,
    Nationalisme et Démocratie: Réflexion sur les illusions des indépendantistes québécois
    ISBN 2-89502-685-2
    1. Nationalisme - Canada. 2. Canada. - Politique et gouvernement - 20e siècle. 3. Démocratie - Canada. 4. Canada - Conditions sociales. I. Titre.

FC608.N3D47   1995   320.5'4'0971   C95-940107-5
F1034.2.N3D47   1995

De quelque pays que vous soyez, vous ne devez croire que ce que vous seriez disposé à croire si vous étiez d'un autre pays.

LOGIQUE DE PORT-ROYAL, 1662.

L e nationalisme se nourrit d'évidences plutôt que de raisons. Il répond aux objections par des boutades ou des arguments d'autorité.

On en a eu un exemple en mai 1994 : l'intégrité territoriale du Québec est « sacrée » ; le droit international permet au Québec de se séparer du Canada et interdit à quiconque de se séparer du Québec. Quels sont les principes et les raisonnements qui fondent une conclusion aussi arbitraire ? Il est « ridicule » de poser la question. Comme Beaumarchais le fait dire à Suzanne : « Prouver que j'ai raison serait accorder que je puis avoir tort. »

Les dirigeants indépendantistes et leurs fidèles éditorialistes nous répètent sans cesse les mêmes évidences indémontrables. L'intérêt économique des Québécois est le critère normal pour décider si l'indépendance du Québec est souhaitable ; et il est certain que celle-ci sera économiquement avantageuse. La plupart des peuples ont, à un moment de leur histoire, pris en main leur propre destin. Le peuple québécois est à cet égard dans une situation anormale qui devra inévitablement être un jour corrigée. Le droit international reconnaît le droit des peuples à l'autodétermination. Un vote de la majorité des habitants d'un territoire est la façon normale de décider du statut politique de celui-ci. La validité de cette méthode de décision est incontestable en démocratie, puisque la loi suprême y est celle de la majorité. Face à notre décision de devenir indépendants, le reste du Canada manifestera sûrement quelque mauvaise humeur, mais il sera très vite obligé d'adopter envers nous une attitude coopérative.

Cette fable me semble un très beau cas de ce que Raymond Boudon appelle « l'art de se persuader des idées incertaines, fragiles ou fausses. » Je tiens au contraire pour probable que les conséquences économiques de l'indépendance dépendront entièrement de la façon dont celle-ci sera décidée et réalisée. Si elle l'est de manière pacifique, nous nous trouverons ensuite dans une situation économique presque aussi bonne, ou guère plus mauvaise, que si elle n'avait pas eu lieu. C'est si la transition devient dramatique ou violente qu'elle entraînera, entre autres malheurs, des coûts économiques élevés.

Je crois aussi que notre statut politique n'est nullement anormal, et je sais qu'il est considéré comme enviable par beaucoup d'autres humains. Le droit des peuples à l'autodétermination qui est mentionné dans le droit international contemporain est équivoque, et il est douteux qu'il soit applicable à une situation comme celle du Québec. La loi de la majorité n'est pas l'autorité suprême dans les sociétés politiquement civilisées, et elle n'est pas légitime pour modifier les règles de base d'un régime politique ou les limites d'un État. Le conflit le plus grave résultant de la séparation n'opposerait pas le Québec au Canada, mais des Québécois à d'autres Québécois. Les dirigeants nationalistes font semblant de réclamer un grand débat sur notre avenir collectif. Mais celui-ci n'a jamais lieu. Pendant la campagne qui a précédé l'élection du 12 septembre 1994, il n'était pas encore temps de le tenir, puisque le vote portait, paraît-il, sur le choix d'un gouvernement et non sur l'indépendance. Depuis le 12 septembre on essaie de nous faire admettre que la question est réglée, qu'elle a déjà été discutée en long et en large et qu'il est inutile d'y revenir. Beaucoup de ceux qui ne sont pas indépendantistes acceptent ces invitations au silence ou au moins à la discrétion : puisque l'indépendance est très improbable, ce serait gaspiller son temps et son énergie que de réfléchir aux problèmes qu'elle poserait. Je crois au contraire que cette réflexion doit avoir lieu, pour au moins trois raisons.

La première est la croyance persistante que, même si l'indépendance n'est pas souhaitable, renoncer à l'utiliser comme menace aurait des effets désastreux sur le « rapport de forces » entre le Québec et le reste du Canada. En réalisant pourquoi la séparation est bien plus dangereuse pour nous que pour nos voisins, les adeptes de cette conception comprendraient peut-être pourquoi une utilisation naïvement machiavélique de la menace d'indépendance ne peut que nous faire du tort.

La seconde est que, même si les indépendantistes échouent, il est important qu'ils comprennent les raisons véritables de leur échec. Dans notre société, l'efficacité de l'habileté politique est trop souvent surestimée. Tout pourrait s'obtenir par une manipulation réussie : il suffit de poser au moment opportun une question astucieusement formulée et de faire une bonne campagne de propagande. Si on échoue, ce doit être parce que l'adversaire a été plus habile. D'où le fameux «à la prochaine fois», qui fait l'admiration de certains mais qui révèle une attitude passablement condescendante envers les citoyens-électeurs.

La troisième raison est que, si le projet indépendantiste est probablement destiné à échouer, il n'est pas impossible qu'il réussisse. Quoi que nous réserve l'avenir, il faut par conséquent accepter de prendre ce projet au sérieux, discuter les questions politiques fondamentales qu'il pose et réfléchir aux dangers qu'il comporte.

C'est ce que je fais dans les pages qui suivent. Pour changer, je ne demande pas qu'on me fasse confiance et je n'invoque aucune autorité. Je souhaite seulement qu'on me lise. Les questions que je discute ne sont pas simples au point qu'il soit toujours possible de les régler en deux phrases. Mais elles ne sont pas compliquées au point de ne pouvoir être comprises que par quelques spécialistes. Il suffit d'y mettre un peu d'attention.

Je n'écris pas pour convaincre, mais pour expliquer.

Merci à Janine Krieber et Stéphane Dion qui m'ont aidé à faire aboutir ce projet, et à ceux qui m'ont aidé à réfléchir sur ces questions et m'ont encouragé à écrire : Richard, Geneviève, Sonia,

Laurent, Julie et, bien sûr, Michelle. C'est à elle et à eux que je dois la meilleure part de mon bonheur d'être québécois et de mon plaisir d'enseigner.

Québec, octobre 1994

Les nationalismes

Quand un conflit politique produit des résultats catastrophiques, l'explication n'en est presque jamais que ces résultats ont été voulus par certains de ceux qui y sont engagés. Dans la plupart des cas, la violence politique n'est pas rendue inévitable par les décisions de gens qui veulent la violence, mais par celles de gens qui poursuivent des objectifs en apparence légitimes, la justice, la liberté, la défense de leurs droits, l'unité ou l'indépendance de leur pays. Dans certaines situations, ces objectifs peuvent être atteints par des méthodes pacifiques. Dans d'autres situations, ils ne peuvent l'être sans violence. C'est dans la structure des situations conflictuelles, bien plus que dans les intentions des personnes, que se trouve l'explication des phénomènes politiques violents.

C'est sur ce plan que se situera ma réflexion. Mon propos ne sera pas de dénoncer les intentions sinistres des uns ou des autres. Il sera d'essayer de mettre en évidence certains des dangers qui découlent nécessairement de la structure de la situation dans laquelle nous nous trouvons, et surtout de celle dans laquelle nous nous trouverons si sont mis en œuvre certains des projets politiques qui nous sont proposés.

La plupart des nationalistes que je connais sont en même temps des démocrates, et je n'ai aucune raison de mettre en doute la sincérité de leur attachement à la démocratie, à la justice et à la paix. Ils sont très probablement persuadés que leurs sentiments nationalistes et leurs convictions démocratiques sont entièrement compatibles. À première vue, cette compatibilité est plausible, puisque la démocratie et le nationalisme sont des mouvements d'idée apparentés qui se sont développés parallèlement depuis deux siècles et ont en commun une notion essentielle, celle de souveraineté du peuple.

Si on ne se contente pas d'observer les ressemblances entre les doctrines et si on analyse les conséquences qu'elles ont eues là où elles ont été mises en œuvre, on se rend compte que nationalisme et démocratie sont profondément antinomiques : les nationalismes produisent des situations conflictuelles qui sont réfractaires aux procédures de décision démocratiques. C'est sans doute là une des principales difficultés politiques de nos sociétés. La démocratie est la forme de gouvernement la plus légitime, celle dont on se réclame presque partout, même là où elle n'est pas du tout mise en pratique. Elle semble être aussi une méthode efficace de gestion pacifique des conflits, puisque dans les pays démocratiques la vie politique est moins violente que dans les autres. Mais la démocratie a un lien historique étroit avec le nationalisme, qui est à notre époque la cause la plus fréquente de conflits politiques violents.

Nationalisme civique et nationalisme identitaire

Un nationalisme est la combinaison de deux éléments : la solidarité que ressentent les humains qui partagent un trait commun ou un ensemble de traits communs quelconques (langue, religion, territoire, origine réelle ou imaginaire, histoire, etc.) ; et la volonté d'obtenir ou de maintenir, au nom de cette solidarité, un sort politique distinct (le plus souvent un État propre). Une nation est la communauté pour laquelle un nationalisme revendique un sort politique distinct.

À toutes les époques, les humains ont connu des communautés dont les membres ressentaient les uns envers les autres une solidarité particulière et regardaient le reste de l'humanité comme des étrangers. La spécificité du nationalisme est de vouloir faire de cette solidarité le principe de l'organisation politique des sociétés. C'est seulement après l'apparition de la notion d'État souverain, possédant le monopole de l'autorité sur un territoire, et de celle de démocratie, qui situe dans le peuple l'origine de toute autorité politique légitime, que s'est répandue l'idée qu'à *un* État doit correspondre *un* peuple. Dès lors, les États où vivent plusieurs peuples sont perçus comme des anomalies ou des scandales et les peuples sans État, comme des victimes ou des êtres inférieurs. Jusqu'au XVIIIᵉ siècle en Occident, les princes parlaient plus volontiers de *leurs peuples* au pluriel, et ils ne se préoccupaient guère de la diversité des langues et des coutumes de leurs sujets, qui n'était pas perçue comme un problème politique ; néanmoins la diversité religieuse en était un.

L'antinomie entre nationalisme et démocratie n'a pas la même intensité pour toutes les formes de nationalisme. Une distinction doit être faite, à cet égard, entre le nationalisme *civique,* qui inclut dans la solidarité nationale tous les citoyens d'un État, et le nationalisme ethnique, ou *identitaire,* qui définit la nation à partir de l'origine, de la langue, de la religion ou de tout autre critère permettant de dissocier la nationalité de la citoyenneté.

Cette distinction a joué un rôle dans une polémique qui a eu lieu, après l'annexion de l'Alsace par l'Allemagne en 1871, entre des Allemands et des Français. La position des premiers était celle de nationalistes identitaires : les Alsaciens, parce que la plupart d'entre eux parlent allemand, sont des Allemands, quelles que soient leurs préférences. La position des seconds était celle de nationalistes civiques : les Alsaciens, parce que la plupart d'entre eux préfèrent être français, sont des Français, quelle que soit leur langue. C'est dans ce contexte qu'a été prononcée la phrase célèbre de Renan : « L'existence d'une nation est un plébiscite de tous les jours. »

La discussion a été obscurcie par le fait qu'on a souvent voulu décider lequel des deux nationalismes était le *vrai.* Ceux qui approuvent le nationalisme et préfèrent sa variante civique veulent qu'elle seule soit vraiment du nationalisme, et que l'autre soit du tribalisme, de l'ethnisme ou du racisme. Ceux qui n'aiment pas le nationalisme cherchent à montrer que celui-ci est toujours identitaire, et préfèrent appeler «patriotisme» sa variante civique. Je ne crois pas que les mots puissent avoir un *vrai* sens. La distinction dont je parle ici n'est pas originale, mais l'utilisation que je fais des expressions «nationalisme civique» et «nationalisme identitaire» est personnelle. Je demande seulement qu'on les comprenne avec le sens que je leur donne.

Les deux types de nationalisme n'ont pas les mêmes conséquences. C'est évidemment la variante identitaire qui présente le plus grand potentiel de division entre concitoyens. C'est elle qui dégénère parfois en racisme. La variante civique est, pour sa part, plutôt un facteur de cohésion sociale, de justice et de paix civile.

Le nationalisme civique a permis de pacifier de nombreux conflits identitaires, et d'abord ceux qui ont été longtemps les plus dangereux, les conflits confessionnels. Il a facilité l'intégration d'immigrants, aux États-Unis bien sûr, mais aussi en France : tous ces rescapés de la misère ou de la persécution, venus d'Europe orientale et méridionale ou du Moyen-Orient, qui sont devenus depuis un siècle des citoyens de la République. Le folklore national, école, caserne, bleu-blanc-rouge, qui a présidé à leur intégration, nous semble un peu ridicule, mais il a été efficace pour leur permettre de trouver une place digne dans une société qui les accepte. Le nationalisme civique a été un facteur de solidarité et de justice. Il a aidé à faire accepter l'égalité devant le droit de vote, l'impôt sur le revenu et l'école obligatoire payée par les contribuables, y compris ceux qui n'ont pas d'enfants. Il a même aidé à lutter contre la tuberculose.

Ne nous emballons pas. Le nationalisme civique

n'est pas sans reproche. Il n'arrive pas toujours à éviter toute complicité avec le nationalisme identitaire. Aux États-Unis, il a servi à faire des Américains avec des Irlandais ou des Ukrainiens. Mais il est passé sans les voir à côté des esclaves et de leurs descendants. Après la guerre civile, le gouvernement fédéral a renoncé à exiger des États du Sud qu'ils leur accordent une véritable citoyenneté. C'était le prix à payer pour la réconciliation nationale entre le Nord et le Sud.

En France, la révolution de 1848 a fait une chose admirable, elle a donné la citoyenneté aux anciens esclaves qu'elle venait d'émanciper aux Antilles et à la Réunion, droit de vote compris. C'est pourquoi il y a en France depuis longtemps des gendarmes, des instituteurs, des députés et des hauts fonctionnaires dont la peau est noire. Mais en Algérie les gouvernements français successifs ont fait une chose terrible : annexer le territoire sans donner la citoyenneté aux habitants. Pas d'école obligatoire pour les petits Algériens, sauf s'ils sont « d'origine métropolitaine », et pas de droit de vote pour leurs parents. C'est pourquoi il y a eu en Algérie une guerre d'indépendance et il n'y en aura sans doute jamais à la Réunion.

Le conflit entre catholiques et protestants, longtemps le plus grave de la société française, a été complètement pacifié par le nationalisme civique. Les huguenots sont devenus des « Français de confession réformée ». Avec les juifs, ça s'est passé plus mal. Ils sont devenus en principe des « Français de confession mosaïque ». Beaucoup d'entre eux s'en sont trouvés bien, la plupart du temps. Les juifs d'Algérie ont même obtenu en 1870 la citoyenneté qui était refusée aux musulmans. Mais dans l'esprit de certains Français, la solidarité nationale n'incluait pas les juifs. Pendant quelques années, le régime de Vichy leur a retiré la citoyenneté, et fait bien pis.

C'est dans les relations entre les États que se manifestent les inconvénients les plus graves du nationalisme civique. Ce sont des nationalismes principalement civiques qui se sont combattus dans la Première Guerre mondiale. Ce sont eux qui ont pendant longtemps inspiré le mépris pour les peuples sans État et justifié le colonialisme. On ne peut éviter complètement que l'égoïsme collectif soit la contre-partie de la solidarité entre les membres d'un groupe. Mais il est évidemment dangereux d'en faire un principe politique absolu, comme c'était souvent le cas en Europe au début de ce siècle.

Le nationalisme civique produit les avantages de la solidarité entre concitoyens et les inconvénients de l'égoïsme collectif. Pour être juste, il faut ajouter que ces inconvénients sont d'autant plus faibles que les États concernés sont plus petits. Ce sont les nationalismes civiques de grands pays, la France ou les États-Unis, qui ont été prétentieux, impérialistes et dangereux pour leurs voisins. La faiblesse des petits les protège presque toujours contre ces dangers. Si j'avais à faire le bilan des nationalismes danois ou néerlandais, qui sont évidemment civiques et pas du tout identitaires, je n'aurais que du bien à en dire, ou presque.

Nationalisme canadien-français et nationalisme québécois

Certains nationalistes québécois savent qu'on

trouve dans l'histoire beaucoup de bonnes raisons de se méfier du nationalisme et insistent sur la nécessité de ne pas confondre ses deux variantes. Le nationalisme canadien-français du passé était identitaire ; il se nourrissait de la méfiance envers « les Anglais » et était dangereusement tolérant envers l'antisémitisme. Le nationalisme québécois d'aujourd'hui est devenu civique pour la majorité de ses adeptes. Il a pour objectif la solidarité entre concitoyens sur des bases et selon des principes qui font aux Québécois anglophones leur juste place et permettent d'accueillir et d'intégrer des immigrants.

Le passage d'un nationalisme à l'autre a été la conséquence d'un choix politique et moral de la part de nationalistes devenus plus éclairés et plus démocrates. Il correspond aussi à la nature des choses : le déclin du catholicisme, qui était le lien le plus fort entre Canadiens français ; l'accroissement du rôle de l'État provincial dans la société québécoise ; la baisse de la natalité, qui impose d'adopter une définition de la nation acceptable par des immigrants. Il s'agit donc sans doute d'un changement irréversible.

Cette façon de décrire l'évolution du nationalisme au Québec me semble assez exacte. L'amalgame entre le passé et le présent est facile, mais il n'est pas toujours juste. L'existence à Montréal d'une station de métro Lionel-Groulx ne révèle sans doute pas les tendances antisémites cachées du nationalisme québécois. Ou alors on devrait penser que l'existence à Paris d'une rue Bonaparte montre que les Français rêvent encore d'envahir tous leurs voisins. Le nationalisme québécois serait devenu majoritairement civique. C'est possible et c'est tant mieux. Mais cela ne suffit pas pour régler le problème posé par le nationalisme identitaire.

Revenons aux Allemands et aux Français du XIXe siècle. Pratiqué à l'allemande, le nationalisme était plutôt identitaire. À la française, il était plutôt civique. C'est une observation ancienne, classique, et probablement juste, même si elle a été faite plus souvent par des Français, pour qui elle est flatteuse, que par des Allemands. La différence entre les deux nationalismes s'explique peut-être par d'autres différences dans la culture et les traditions des deux sociétés : les structures familiales allemandes, qui sont plus autoritaires et plus hiérarchisées que celles des Français, plus égalitaires et plus individualistes ; le catholicisme presque homogène de la France, dont la vision du monde est plus universaliste que celle que favorisent le protestantisme et les divisions religieuses de l'Allemagne.

Mais il y a une explication bien plus simple, qui tient aux circonstances historiques plutôt qu'aux traditions culturelles. Quand l'idée de nation devient politiquement importante, à l'extrême fin du XVIIIe siècle et au début du XIXe, les deux pays ne sont pas du tout dans la même situation.

La France est un État ancien, dont l'existence n'est pas contestée et dont les frontières le sont fort peu (vaincue en 1815, elle retrouve à peu près celles d'avant 1792, et conserve même Avignon et Mulhouse, annexées pendant la Révolution ; en ces temps reculés, les vainqueurs savaient vivre). Puisqu'il y a un État, il y a une citoyenneté, qui peut servir de critère d'appartenance à la nation. Le nationalisme français a bien produit quelques divagations sur les origines («Nos ancêtres les Gaulois...»), les racines, la terre et les morts, mais elles ne lui étaient pas indispensables.

À la même époque, les personnes qui parlent allemand vivent dans un grand nombre de royaumes et de principautés. Un nationalisme prussien ou un nationalisme bavarois auraient été concevables, mais non pas un nationalisme pour chacun des États allemands. Car le problème des premiers nationalistes est l'insécurité qui résulte de la petite taille de ces États, que des soldats français ont parcourus dans tous les sens pendant 20 ans en y faisant les dégâts qu'on imagine. L'unité est la condition de la sécurité, et le nationalisme est le moyen de réaliser l'unité. Il n'y aura donc pas de nation prussienne ou bavaroise, mais une nation allemande, dont le critère d'identification ne peut pas être la citoyenneté d'un État qui n'existe pas encore. Ce critère sera la langue, souvent prise pour une «race», confusion fréquente au XIXe siècle.

Le nationalisme français aurait pu être identitaire, mais c'était relativement facile à éviter. Et il était impossible que le nationalisme allemand soit civique, mais un nationalisme prussien aurait pu l'être. Le nationalisme civique est un luxe réservé à ceux qui n'ont pas de «question nationale» à résoudre. Des Allemands aux Serbes et des Irlandais aux Arabes, partout où le programme des nationalistes était de créer un État plus grand ou plus petit que celui où ils vivaient, le nationalisme a été par nécessité identitaire. Il est donc normal que ce soit sa forme la plus fréquente.

C'est pourquoi le nationalisme québécois peut assez facilement être civique tant que le problème de l'indépendance n'est pas posé de manière immédiate. Ce serait, en principe, possible dans un Québec indépendant, aussi bien que dans le Québec fédéré d'aujourd'hui. La difficulté n'est pas d'*être* indépendant, mais de le *devenir*.

Il est assez facile d'imaginer ce que serait un Québec indépendant. Il aurait suffi que les gouvernements des colonies britanniques d'Amérique du Nord restent séparés au XIXᵉ siècle. En 1931, le Statut de Westminster aurait donné la souveraineté au Québec, sans doute sous un autre nom, en même temps qu'à la Nouvelle-Zélande et à Terre-Neuve. Comme l'Irlande, le Québec serait probablement sorti du Commonwealth et serait resté neutre dans la Deuxième Guerre mondiale. Comme dans les cas de l'Irlande ou du Portugal, dont les gouvernements avaient de nombreux admirateurs dans le Québec des années 1930, cela aurait entraîné un isolement favorisant la persistance de certains archaïsmes politiques. Il aurait peut-être été plus difficile de se dépêtrer de l'emprise des évêques sur la société. Mais le Québec aurait quand même été beaucoup plus riche et urbanisé que l'Irlande et le Portugal. Il y aurait eu une baisse de la natalité, un concile Vatican II et, tôt ou tard, une Révolution tranquille.

Dans un Québec indépendant aussi, il aurait pu y avoir une Manic, une Expo 67, des Jeux olympiques, Robert Charlebois, Leonard Cohen et les deux Bombardier (Armand et Denise). Ce serait à peu près la même société, aussi prospère, aussi démocratique. Mais on parlerait beaucoup moins du nationalisme québécois, qui serait rangé paisiblement, à côté de celui des Danois et des Néerlandais, sur l'étagère des nationalismes à qui on n'a presque rien à reprocher. Comme ailleurs en Occident, les intellectuels québécois tiendraient le nationalisme pour un phénomène du passé, un peu inquiétant et inavouable, excusable à la rigueur dans les pays pauvres récemment décolonisés.

Je demande ici la permission de faire une pause méthodologique. Le raisonnement que j'ai fait dans les deux derniers paragraphes a le don d'exaspérer certains spécialistes des sciences sociales, qui tiennent pour évident qu'il est «oiseux», c'est l'adjectif consacré, de reconstruire l'histoire. Je dois donc rappeler qu'il s'agit là d'une méthode tout à fait classique. Max Weber, par exemple, a expliqué qu'une telle démarche est non seulement permise mais nécessaire pour analyser les faits sociaux, dans un article publié en 1906 dans *Archiv für Sozialwissenschaft und Sozialpolitik*, intitulé: «*Kritische Studien auf dem Gebiet der Kulturwissenschaftlichen Logik.*»

Pour ceux qui ne sont pas des spécialistes et ont le droit de ne pas l'être, j'ajouterai un autre argument. Il est évident que tous ceux qui déclarent souhaitable l'indépendance du Québec ou tout autre changement politique font la supposition explicite ou implicite que, si ce changement a lieu, la situation dans 10 ou 20 ans sera meilleure que s'il n'a pas lieu. Or nous avons beaucoup plus d'informations sur la situation de 1935 ou de 1950 que sur celle de 2005 ou de 2020. Donc, quand on reconstruit rationnellement les conséquences qu'aurait pu avoir l'indépendance du Québec si elle avait été faite en 1931, on procède à une opération moins incertaine que quand on évalue celles qu'elle aura si elle a lieu dans trois ou quatre ans. Fin de la pause méthodologique.

Dans un Québec indépendant depuis longtemps, le nationalisme serait probablement moins fort que dans celui que nous connaissons. Mais la situation ressemblerait plus à celle des États-Unis, où le nationalisme est encore assez fort, qu'à celle des pays d'Europe occidentale, où il est plutôt faible. Ceci est probable à cause de la forte proportion d'immigrants dans la population des pays d'Amérique du Nord. Les immigrants sont souvent ceux qui ont les meilleures raisons d'être nationalistes.

Un certain attachement pour le lieu où on est né, ou plutôt pour celui où on a vécu son enfance, est peut-être un sentiment humain naturel. Mais l'amour de la patrie, de l'espace organisé politiquement où se trouve ce lieu, ne l'est évidemment pas. Il faut qu'il soit enseigné et appris. Je ne me risquerai pas à expliquer pourquoi on a enseigné aux petits Québécois qu'ils doivent aimer le Québec. Je n'y suis pas né, je ne peux donc, en principe, rien y comprendre. Mais je sais bien pourquoi on enseignait aux petits Français l'amour de la France, et je sais pour quelles excellentes raisons cet enseignement a beaucoup changé après 1945. Dans l'école de mon enfance, Jean Monnet était en train de remplacer Clémenceau comme figure de citoyen exemplaire, et les mises en garde contre le nationalisme étaient plus nombreuses que les exhortations au patriotisme. Encore aujourd'hui, la victoire dans le Tour de France d'un Belge ou d'un Irlandais me procure plus de satisfaction que celle d'un Français. L'amour de la patrie et l'indifférence envers elle sont également irrationnels.

En revanche, le patriotisme de l'immigrant est tellement naturel et compréhensible. S'il a quitté librement un pays pour aller vivre dans un autre, c'est sans doute qu'il a des raisons de préférer le second. S'il a été chassé de son pays d'origine et s'est réfugié là où on a bien voulu de lui, cela a représenté des peines et des efforts, des séparations et un travail d'adaptation. En n'aimant pas le pays où il a immigré, c'est toute sa vie qu'il condamnerait. En outre, épouser le nationalisme du pays d'accueil est une précaution utile pour qui veut s'y faire accepter.

L'immigrant est par conséquent le client parfait pour un nationalisme civique. Le patriotisme qu'il adopte ne peut pas être celui des racines, de la terre et des morts, des souvenirs partagés et des rancœurs ressassées. Il est évidemment celui d'Edmund Burke et de Raymond Aron, l'adhésion à une communauté politique dont les lois justes rendent possibles prospérité, sécurité, liberté et dignité. Si le Québec était indépendant, il pourrait sans aucun doute susciter un attachement de ce type chez les immigrants, et même peut-être chez ceux de ses citoyens dont les ancêtres étaient ici il y a deux siècles.

La meilleure preuve en est que le Québec fédéré d'aujourd'hui suscite aussi cet attachement. Les immigrants y ont trouvé ces lois justes. Ils aiment cette méthode de gouvernement tellement originale qui consiste à élire des députés dans deux capitales différentes. Ils admirent le fait qu'on puisse s'opposer à la politique des gouvernants et même à la structure de l'État, sans pour autant être obligé de partir dans les bois avec un fusil ou être mis en prison. Si on leur promet que dans un Québec indépendant leurs droits seront scrupuleusement respectés, ils répondent que c'est gentil, mais que tout est déjà très bien et qu'il ne faut surtout pas se déranger.

C'est pourquoi les efforts sincères des dirigeants du Parti québécois pour associer des immigrants plus ou moins récents à leur projet collectif donnent de si maigres résultats. Il serait préférable qu'ils aient plus de succès. Le Québécois francophone de naissance qui décide d'être fédéraliste, le Québécois anglophone et l'immigrant qui décident d'être indépendantistes, tous les trois nous protègent contre le danger que les conflits entre nous s'organisent selon des clivages purement identitaires. Ils sont les héros civiques qu'on devrait proposer en exemples aux enfants des écoles.

Mais quels arguments peut-on utiliser pour convaincre un immigrant de la nécessité de l'indépendance ? Pour qui habite la province de Québec, il y a deux nationalismes civiques possibles : le nationalisme civique québécois et le nationalisme civique canadien. Avec les arguments du nationalisme civique, l'attachement à des lois justes, à la liberté et à la dignité, il n'y a aucune raison de préférer l'un à l'autre, encore moins d'accepter les risques et les coûts d'un changement institutionnel destiné à faire en sorte qu'on ne puisse plus, comme aujourd'hui, adhérer aux deux en même temps.

Quelques arguments en faveur d'un nationalisme québécois

Deux séries d'arguments sont utilisées pour tenter

de démontrer aux habitants de la province de Québec que le nationalisme québécois doit être préféré au nationalisme canadien. Les premiers réfèrent à l'histoire : les événements passés qui devraient empêcher les Québécois de considérer l'État canadien comme *leur* État. Les seconds portent sur le présent et l'avenir : les progrès qui seraient rendus possibles grâce à l'indépendance. Voyons ce que peuvent donner quelques-uns de ces arguments.

Il sera bien difficile de convaincre un immigrant que la conquête du Canada par l'Angleterre au XVIIIᵉ siècle est une injustice qui attend encore d'être réparée. Ne pas avoir choisi le pays dont on est citoyen est le sort commun de l'humanité. La chance de pouvoir choisir une citoyenneté, de pouvoir librement quitter un pays pour s'installer dans un autre, est encore réservée à un tout petit nombre (merci de leur part). Avoir des ancêtres qui ont été conquis est aussi le sort commun. C'est une illusion de croire qu'on se sent mieux quand on a des arrière-arrière-grands-parents qui ont eu le choix de devenir ou non citoyens de l'État où on vit. En 1860 la Savoie a été rattachée à la France après que ses habitants eurent été consultés par référendum (on disait alors «plébiscite»). À mes ancêtres bretons on n'a jamais demandé leur avis. Personne ne pense que cela fait une différence dans la façon d'être français des Bretons et des Savoyards d'aujourd'hui. Ils le sont devenus de la même façon, par leur naissance. Les lois sont les mêmes pour les uns et les autres. Et tout est dit.

Certaines conquêtes sont à l'origine de situations injustes permanentes, comme celle de l'Algérie conquise par la France, où les uns étaient des citoyens et les autres des sujets. Si on explique à l'immigrant que les Canadiens français, eux aussi, ont été des citoyens de seconde classe, il ira voir dans les livres. Il trouvera que la vallée du Saint-Laurent est gouvernée depuis 1791 presque sans interruption par un État de droit comportant une assemblée élue. Avec la Grande-Bretagne, le nord-est des États-Unis et la Suède, il s'agit de l'un des premiers pays du monde à avoir appliqué puis conservé cette forme de gouvernement (si Napoléon ou Hitler ne les avaient pas envahis, il faudrait ajouter à cette liste la Suisse, les Pays-Bas, le Danemark et la Norvège). Aucune loi ne limitait les droits des catholiques ou des francophones. Il y avait des citoyens de seconde classe, les très pauvres quand le suffrage était censitaire, les femmes, comme partout pendant longtemps, et les autochtones. Pour tous les autres, la citoyenneté a toujours été, d'après les normes mondiales des deux derniers siècles, de toute première classe.

Dans certains pays, les inégalités économiques extrêmes ont des effets qui sont proches de ceux des inégalités de statut juridique. Il y a eu entre les anglophones et les francophones une inégalité économique importante, qui n'a pas encore entièrement disparu. Mais les inégalités économiques ne sont pas toujours dues à des lois ou à des situations politiques injustes. Pendant longtemps au Canada, l'épargne des protestants était investie dans des entreprises et celle des catholiques servait à entretenir un clergé plus nombreux que partout au monde par rapport à la population sauf peut-être au Tibet et au Monténégro. Ce clergé passait une partie de son temps à enseigner que l'agriculture est moralement supérieure à l'industrie, la campagne à la ville et l'obéissance à l'intelligence. Entre ceux qui investissent dans l'activité économique et ceux qui le font dans la propagande contre cette activité, l'inégalité de richesse n'est pas étonnante. Pour qu'elle ne soit pas devenue plus grande, il a fallu que les Canadiens français de jadis soient redoutablement acharnés au travail, et que les Canadiennes françaises le soient sans doute encore plus.

Un événement comme la crise de la conscription en 1917-1918 permet de mesurer l'incompréhension de l'immigrant envers le réquisitoire traditionnel du nationalisme québécois contre le Canada. Dans ce pays, la conscription, c'est-à-dire la possibilité légale d'engager des hommes dans l'armée contre leur volonté, a existé pendant une partie des deux guerres mondiales, au total moins de cinq ans. En France elle existe depuis deux siècles, et on a souvent fusillé sans faire d'histoires ceux qui refusaient d'aller à la guerre. Pour émouvoir l'immigrant ou le scandaliser contre le Canada et les « Anglais », le nationaliste québécois lui raconte la répression du début de 1918 contre les insoumis canadiens-français. L'immigrant retient qu'ici ces choses étaient exceptionnelles et qu'elles ont fait scandale, alors qu'ailleurs elles étaient banales. Il en conçoit une double admiration envers les traditions politiques canadiennes : pour avoir permis si rarement l'oppression, et pour avoir rendu les victimes de celle-ci capables de protester, alors qu'ailleurs elles se soumettaient en silence.

Une brochure publiée l'an dernier par le Bloc québécois a provoqué de nouveau chez moi la même réaction. On y affirme que le Canada a été, à l'automne 1970, «le *seul* pays occidental» depuis 1945 à suspendre les droits civiques. Je me souviens qu'en France en mai 1958 des journaux paraissaient avec des espaces blancs où il était écrit: «censuré». En 1961 le président de la République a appliqué pendant plusieurs mois l'article 16 de la constitution, qui remettait entre ses mains tous les pouvoirs de l'État sans contrôle judiciaire ou parlementaire. En 1962, un tribunal d'exception a été créé par un décret qui sera déclaré illégal quelques mois plus tard, après que certaines personnes condamnées à mort par lui eurent été exécutées.

On a là, comme dans le cas de la conscription, une illustration d'un phénomène bien connu: dans une société, la tolérance envers la violence diminue plus vite que la violence elle-même; c'est donc là où il y a le moins de violence qu'elle scandalise le plus. Quelques Canadiens naïfs croient que ce qui a fait scandale dans leur pays n'arrivait pas dans les pays où le scandale était moins grand (en fait, la censure de 1958 et la dictature présidentielle de 1961 ont fait scandale en France, mais celui-ci a été ressassé pendant moins longtemps que le scandale canadien de 1970).

Les mêmes récits qui alimentent la foi des nationalistes suscitent chez moi l'admiration pour ce chef-d'œuvre d'ingéniosité institutionnelle et de prudence politique qu'a été le Canada pendant presque toute son histoire. Quand des Québécois m'expliquent que les institutions du Québec fédéré sont anormales et vaguement honteuses, qu'il faut les modifier pour les faire ressembler à celles des peuples qui ont de «vrais pays», je suis stupéfié, comme si Louis Lortie annonçait son intention de renoncer au piano pour faire de la «vraie musique» à l'accordéon.

Les arguments historiques n'ont que très peu de force démonstrative parce qu'ils comportent presque toujours une pétition de principe. Les inégalités économiques au Canada n'ont rien d'exceptionnel depuis deux siècles, comparativement à celles des autres pays occidentaux. Pour leur donner une signification politique, il faut décider de les mesurer entre les membres des deux groupes linguistiques. Le choix de définir ainsi les ensembles à comparer présuppose le nationalisme en faveur duquel on argumente.

De la même façon, pour penser que la crise de la conscription justifie que les Québécois ne considèrent pas le Canada comme *leur* État, il faut supposer que la gravité de cette crise vient de ce que les insoumis parlaient français et qu'ils étaient pourchassés par des soldats anglophones. En France c'était différent, les insoumis de 1917 étaient fusillés dans leur propre langue et avaient été conscrits dans l'armée de leur propre pays. L'argument s'effondre si on pense que le Canada de 1917 était le pays des Canadiens français exactement autant que la France était celui des Français. En outre, en France les fusillés ne parlaient pas tous français, mais les différences de langue n'y étaient considérées par presque personne comme des différences de nationalité. Pour tirer de l'épisode historique les leçons qu'en tirent les nationalistes québécois, il faut avoir accepté leur nationalisme comme un principe préalable à toute démonstration.

Les arguments économiques en faveur de

l'indépendance soulèvent la même difficulté. Je suis très sceptique face aux démonstrations qui prétendent montrer que l'indépendance aurait des effets positifs sur l'économie du Québec, soit à partir d'une analyse des flux existant entre celui-ci et le reste du Canada, soit à partir de la supposition qu'un État unitaire serait plus efficace qu'un État fédéral. Admettons cependant qu'une telle démonstration puisse être faite. Elle ne conduit à souhaiter l'indépendance que si on a accepté en principe que l'intérêt collectif du Québec, et non pas celui du Canada ou de tout autre groupe de référence, doit être le critère à partir duquel on décide ce qui est souhaitable et ce qui ne l'est pas.

Il est probable, par exemple, que l'indépendance serait très coûteuse pour l'économie de la ville de Hull. Un nationaliste québécois en déduira sans doute que le reste du Québec aura une obligation particulière de solidarité envers Hull, certainement pas que cette ville devrait être annexée à l'Ontario. De la même façon, un nationaliste canadien domicilié à Montréal, s'il est convaincu que les flux économiques au Canada sont désavantageux pour le Québec, en déduira sans doute que la politique économique canadienne doit être réformée, certainement pas que le Canada doit être démembré. Toutes les tentatives de démonstration économique du bien-fondé de l'un ou l'autre nationalisme doivent donc présupposer implicitement ce qu'elles prétendent démontrer.

Cela n'oblige pas à conclure qu'il faut renoncer aux nationalismes, mais oblige à constater qu'on ne peut pas arbitrer entre eux avec des arguments rationnels.

Les conséquences politiques des différences culturelles

Plus profondément que sur les arguments discutés dans la section précédente, le nationalisme repose sur la croyance implicite ou explicite que des groupes humains aux traits culturels différents doivent avoir des organisations politiques différentes. Les habitants de Toronto ou Vancouver n'ont ni la même langue ni la même histoire ni la même « mentalité » que nous. Comment pourrions-nous vivre sous les mêmes lois et partager avec eux une structure gouvernementale ? Cette idée est, je crois, tenue pour naturellement évidente par un grand nombre de nationalistes. Je vais montrer pourquoi je pense qu'elle est une croyance arbitraire, une erreur morale, et probablement une idée politiquement dangereuse.

Pour soutenir que les différences culturelles entre les humains rendent nécessaires des différences dans les lois selon lesquelles ils vivent, il faut procéder à une sélection arbitraire entre toutes les différences culturelles possibles, retenir certaines d'entre elles comme politiquement pertinentes et négliger les autres. Entre quelques-unes des personnes que je rencontre tous les jours dans l'ascenseur et moi-même, il existe des différences de mode de vie, d'intérêts, de croyances et de système de valeurs bien plus importantes que les différences moyennes qui existent dans les mêmes domaines entre les habitants de Québec et ceux de Vancouver. Mes voisins et moi vivons cependant dans le même immeuble et sous les mêmes lois sans difficulté notable.

Cet argument est classique, c'est celui qu'on a

opposé depuis longtemps aux avocats de la ségré-
gation raciale : les différences moyennes entre les
groupes sont presque toujours moins grandes que les
différences entre les individus à l'intérieur du même
groupe. L'observation est aussi juste pour les faits
culturels que dans l'ordre biologique. Ce ne sont pas
les différences culturelles entre les Français et
les Allemands, par exemple, qui expliquent
l'existence d'une frontière politique sur le Rhin. Les
différences dans les vêtements, l'architecture des
maisons, les structures familiales, les croyances
religieuses ou les façons de se nourrir sont bien plus
grandes entre Strasbourg et Marseille qu'entre
Strasbourg et Cologne. La frontière linguistique tend
à se rapprocher de la frontière politique, mais
seulement parce qu'il existe des systèmes d'enseignement étatisés. Avant l'apparition de ces derniers,
la frontière politique ne correspondait pas à la
frontière linguistique. Si la répartition dans l'espace
des faits culturels était la même, mais si l'histoire
politique avait été différente, il y aurait une frontière
sur l'Elbe ou sur la Loire et non pas sur le Rhin, tout
aussi « naturelle » aux yeux des nationalistes et tout
aussi arbitraire aux yeux de ceux qui ne le sont pas.

Cette relativisation des différences culturelles
n'oblige pas à penser que celles-ci n'ont aucune
valeur et qu'elles ne méritent pas d'être préservées,
mais elle permet de penser que, pour le faire, il n'est
presque jamais nécessaire de toucher aux lois ou aux
institutions politiques. J'ai personnellement bénéficié
de l'existence de la différence linguistique québécoise
en Amérique du Nord, puisqu'elle m'a permis de
venir travailler à Québec. Il est juste que je contribue

à sa préservation, par exemple en aidant certains de mes étudiants à écrire un français moins défectueux. Mais la plupart des lois selon lesquelles nous vivons n'ont aucune incidence sur la langue que nous parlons. Nous pouvons sans inconvénient les partager avec les habitants de Vancouver.

Il est même probable qu'il y a de gros avantages à vivre sous les mêmes lois que des gens différents de nous. Parce que nous sommes obligés de nous entendre avec eux pour adopter ou modifier certaines de nos lois, celles-ci ont plus de chances d'être satisfaisantes du point de vue de la justice. En privilégiant des critères particularistes dans les décisions d'adoption des lois ou de désignation des gouvernants, on court le risque de négliger d'autres critères plus pertinents et d'être, en fin de compte, assez mal gouverné. Dans les domaines d'activité autres que la politique, il ne nous viendrait pas à l'idée de croire que, pour faire confiance à la compétence ou au jugement de quelqu'un, il faut tenir compte de son origine ou de sa spécificité culturelle : je n'ai jamais cru qu'il vaudrait mieux que mon dentiste soit breton ; il n'y a donc aucune raison pour que je préfère que mon député vienne du même village ou ait la même langue maternelle que moi. Les lois justes ne sont pas celles qui ont été faites sur mesure pour une personne ou un groupe. Elles se reconnaissent au fait qu'elles peuvent convenir à tous les humains, ou plus exactement à n'importe lequel d'entre eux. Cette idée de la justice est ancienne et banale, c'était déjà, à la fin du XVIIIe siècle, celle d'Emmanuel Kant.

Enfin, l'idée que les différences culturelles rendent nécessaires des lois et des institutions différentes est politiquement dangereuse. Ceux qui professent un nationalisme civique affirment que les Québécois d'origine vietnamienne ou haïtienne, par exemple, sont des citoyens comme les autres. Dans leur cas, les différences culturelles ne sont pas un obstacle à l'existence d'une citoyenneté commune. Mais les différences culturelles entre Montréal et Toronto rendraient nécessaire la création de deux États séparés. Il est impossible de concilier logiquement ces deux affirmations, et la seconde sape par conséquent la crédibilité de la première.

Je ne fais ici aucun procès d'intention. Je ne pense pas que certains nationalistes soient en train de se préparer en secret à réutiliser après l'indépendance, contre les Québécois plus ou moins allogènes, l'argument selon lequel les différences culturelles rendent impossible une citoyenneté commune. Je dis seulement qu'en accordant du crédit à cet argument dans le cadre des disputes entre Canadiens, on prend le risque qu'il soit un jour repris par d'autres et utilisé pour faire des distinctions entre Québécois. Il est normal qu'il suscite la méfiance de tous ceux qui se sentent différents à un titre ou à un autre. L'argument selon lequel les différences culturelles rendent nécessaires des États différents appartient, fondamentalement, au nationalisme identitaire.

C'est pourquoi je pense que dans un Québec indépendant, comme dans le Québec fédéré que nous connaissons, le nationalisme pourrait être civique, mais que pour séparer le Québec du Canada on ne pourra pas se passer des arguments du nationalisme identitaire. Présentement, certains d'entre nous sont des nationalistes québécois et d'autres sont

des nationalistes canadiens. Il y a aussi des syncré-
tistes qui pratiquent volontiers les deux nationalismes,
et des agnostiques qui sont également sceptiques
envers eux. Tous peuvent vivre en paix dans un Québec fédéré et pourraient sans doute le faire aussi dans
un Québec qui serait indépendant depuis longtemps.
Mais si nous nous embarquons dans le grand barda
que sera la réalisation de l'indépendance, c'est alors
que tout se détraquera.

Les arguments du nationalisme identitaire revien-
dront en force, parce qu'en fin de compte ce sont les
seuls qui permettent de voir une différence entre les
deux nationalismes civiques, québécois et canadien.
Les conflits opposeront de plus en plus des groupes
définis selon des clivages identitaires. Il y aura ceux
qui peuvent comprendre le sens de la lutte pour
l'indépendance, et ceux qui en sont incapables pour
la raison simple qu'ils n'ont pas appris l'histoire dans
les écoles du Québec. Il y aura surtout ceux qui ne
comprennent pas pourquoi les autres ne peuvent pas
comprendre. Ce sera le temps des appels à l'intuition,
à l'indicible, aux racines, aux solidarités essentielles.

Rappelons-nous ce que Giraudoux fait dire à
Hector à propos de la poésie et de la guerre: «Ce
sont les deux sœurs.»

Pourquoi on devient indépendant

Les nationalistes québécois font un usage sélectif de la comparaison avec les autres pays. D'une part, ils professent qu'un « peuple normal » doit être indépendant, ce qui suppose que la plupart des autres peuples ont eu à un moment ou à un autre la possibilité de se constituer en États souverains. L'aspiration des Québécois à en faire autant est donc naturelle et n'a guère besoin de justification. D'autre part, ils semblent assurés que les conflits violents qui ont accompagné de nombreux processus d'accession à l'indépendance ne peuvent pas se produire chez nous. Concernant le *pourquoi* de l'indépendance, la comparaison avec les autres est pertinente. Elle cesse de l'être quand il s'agit du *comment*.

J'ai tendance à penser qu'il faut inverser ce paradoxe. Ce sont plutôt les justifications de l'indépendantisme québécois qui sont originales et qui ont peu de chose en commun avec celles de la plupart des autres mouvements d'indépendance du XXᵉ siècle. Il est facile de le montrer et c'est ce que je ferai dans le présent chapitre. En revanche, il est très imprudent de croire que certaines des difficultés qui ont accompagné d'autres processus d'accession à l'indépendance sont impossibles chez nous; ce que je montrerai dans les chapitres suivants.

Les États qui sont devenus indépendants au XXᵉ siècle en se séparant d'un État plus grand appartiennent à trois catégories: ceux qui se sont séparés par refus de l'inégalité, ceux qui l'ont fait par recherche de sécurité et ceux qui l'ont fait pour des raisons diverses. Si le Québec devient indépendant, il appartiendra avec la Norvège et la Slovaquie à la troisième catégorie. Visitons d'abord rapidement les deux premières.

Les indépendances pour cause d'inégalité

Les indépendances qui ont résulté de la fin des empires coloniaux appartiennent à la première catégorie. Le thème de la «libération nationale» est intervenu pendant les luttes de décolonisation, mais le déclenchement de celles-ci s'explique mieux par l'aspiration à l'égalité des colonisés et le refus des colonisateurs de la leur reconnaître.

La plupart des sociétés ont cru non pas à l'égalité entre les humains, mais à une forme ou une autre d'inégalité entre eux, dont les religions et les traditions proposaient des justifications plus ou moins ingénieuses. Plusieurs empires ont ainsi duré très longtemps en gouvernant des peuples divers dont les membres avaient des statuts juridiques différents. C'était, bien sûr, le cas de l'Empire ottoman, et aussi des empires coloniaux conquis par des Européens au XVIᵉ siècle. C'est seulement avec les révolutions de la fin du XVIIIᵉ siècle que l'égalité a commencé dans quelques pays occidentaux à être une croyance influente et une condition de la légitimité des régimes politiques. Elle est devenue aujourd'hui un principe reconnu, sinon appliqué, dans le monde entier, y compris depuis peu en Afrique du Sud.

Un des aspects remarquables des empires coloniaux du XIXᵉ siècle est qu'ils ont eu une existence très brève malgré un écart énorme de puissance entre conquérants et conquis. La raison principale en est que les conquêtes coloniales de la Grande-Bretagne et de la France ont eu lieu exactement en même temps que la démocratisation de leur régime politique. L'égalité proclamée dans les métropoles et l'inégalité pratiquée dans les colonies étaient antinomiques. Dans plusieurs cas, les colonisés ont d'abord revendiqué l'égalité juridique. C'est seulement quand il a été clair qu'ils ne l'obtiendraient pas qu'ils sont devenus indépendantistes. Gandhi jusqu'en 1918 ne revendiquait pas l'indépendance de l'Inde, mais l'égalité pour les Indiens dans l'Empire britannique. Ferhat Abbas, qui allait devenir un des dirigeants du mouvement d'indépendance de l'Algérie, demandait dans les années 1930 la pleine citoyenneté française pour les Algériens.

Le caractère inégalitaire des structures coloniales sapait aussi la légitimité de celles-ci aux yeux des habitants des métropoles. C'est là une des raisons du caractère tardif de la décolonisation portugaise. Plus faible que la Grande-Bretagne, la France ou les Pays-Bas, le Portugal est arrivé à garder son empire plus longtemps parce qu'il était moins démocratique que les autres puissances coloniales.

Dans les rares cas où l'égalité juridique a été accordée assez tôt pour avoir le temps de produire une véritable citoyenneté commune, il n'a pas été nécessaire de faire l'indépendance pour réaliser la décolonisation, c'est-à-dire l'abolition de la structure impériale inégalitaire. C'est le cas, nous l'avons vu, aux Antilles françaises et à la Réunion. En Algérie, l'égalité devant le droit de vote n'a été instituée qu'en 1958, quatre ans après le début de la guerre d'indépendance. La Nouvelle-Calédonie représente une situation intermédiaire. L'égalité devant le vote y a été instituée en 1946. L'île est toujours sous souveraineté française, mais ses habitants sont divisés par un conflit assez grave entre ceux dont les grands-parents avaient il y a 50 ans le statut d'indigènes et ceux dont les grands-parents étaient déjà citoyens.

En Irlande, la discrimination légale contre les catholiques a pris fin en 1829. Mais, à cause du suffrage censitaire, ceux-ci sont restés plusieurs années mal représentés au Parlement de Londres. Ce n'était plus le cas à la fin du XIXᵉ siècle. L'égalité juridique était alors effective. Grâce à un découpage archaïque des circonscriptions électorales, les Irlandais bénéficiaient même d'une surreprésentation au parlement par rapport aux autres habitants du Royaume-Uni. Mais l'égalité n'a pas été pratiquée assez longtemps pour rendre inutile l'indépendance, déclarée en 1921. Le cas irlandais est cependant ambigu. Il fait partie aussi des indépendances pour des raisons autres que l'inégalité et l'insécurité, dont je discuterai plus loin. Ceci explique peut-être les séquelles assez pénibles de l'indépendance de l'Irlande, qui a été immédiatement suivie en 1922 et 1923 d'une guerre civile entre Irlandais, et qui a laissé non résolue jusqu'à aujourd'hui une situation de violence politique en Irlande du Nord.

Le Québec n'entre évidemment pas dans cette catégorie, malgré tous les jeux sémantiques et rhétoriques qui ont pu être faits autour du mot « colonie », surtout dans les années 1960. Pour ceux qui luttaient contre le colonialisme il y a 40 ans, « être colonisé » ne signifiait pas « avoir des ancêtres qui ont été conquis par des soldats venus en bateau », mais « être gouvernés par une autorité politique qui nous refuse la citoyenneté ».

Les indépendantistes québécois semblent croire que le droit des peuples à l'autodétermination reconnu par le droit international contemporain implique toujours le droit à la sécession. Cela est loin d'être clair, sauf dans les situations coloniales, c'est-à-dire quand un État exerce son autorité sur un territoire sans reconnaître une pleine citoyenneté à ses habitants. Il y a là une certaine sagesse, sans doute involontaire, de la part des assemblées et des conférences où s'élabore le droit international. Comme nous le verrons plus loin, la difficulté la plus grave qui résulte d'une séparation d'État est que celle-ci fait apparaître une différence juridique entre des gens qui étaient jusque-là des concitoyens. Dans les situations coloniales, la différence juridique préexiste à la séparation.

Si on avait reproché en 1954 aux indépendantistes algériens de rompre la solidarité entre citoyens français, ils auraient légitimement pu répondre que celle-ci n'était pas rompue par leur révolte, mais par la loi française, qui maintenait en Algérie deux statuts juridiques, celui de citoyen pour une minorité et celui de sujet pour la majorité. Si on accuse aujourd'hui les indépendantistes québécois de rompre la solidarité entre citoyens canadiens, ils ne peuvent évidemment pas faire la même réponse.

Les indépendances pour cause d'insécurité

Dans la deuxième catégorie se trouvent les indépendances qui ont résulté d'une recherche de sécurité. C'est la motivation la plus normale et la plus ancienne. Les indépendances produites par elle sont cependant moins nombreuses au XXe siècle que celles qui ont résulté de l'aspiration à l'égalité, préoccupation politique typiquement moderne.

La fonction première d'un État est d'assurer la sécurité de ceux qui vivent sur son territoire. S'il cesse d'en être capable ou s'il devient pour eux une menace, des autorités politiques rivales apparaissent pour le remplacer ou le combattre. L'indépendance du Bangladesh en 1971, en réaction à la répression très brutale pratiquée par l'armée pakistanaise contre sa population, et la tentative d'indépendance du Biafra, entre 1967 et 1970, à la suite de persécutions contre des membres de l'ethnie ibo dans le nord du Nigeria, en sont des exemples. Et c'est presque certainement dans cette catégorie qu'il faut faire entrer les indépendances qui ont suivi le démembrement de l'URSS et celui de la Yougoslavie.

Dans certains cas, l'indépendance proclamée en vue d'une meilleure sécurité apporte effectivement le résultat attendu. Le Bangladesh est gouverné d'une façon qui n'est pas exemplaire et ses villages sont encore très pauvres, mais ils ne sont plus bombardés au canon par des tanks comme ils l'étaient en 1971. Ne sous-estimons pas le progrès que cela représente.

L'indépendance de la Slovénie, obtenue en 1991 après une guerre qui a duré quelques jours et tué moins de 100 personnes, est une réussite brillante pour la sécurité de ses habitants. Le fait que les choses aient ensuite tourné tellement mal dans les autres républiques yougoslaves a persuadé sans aucun doute les Slovènes qu'ils ont eu raison de se retirer d'une compagnie si dangereuse. Il y a là un cas typique d'égoïsme collectif récompensé par les circonstances. En proclamant les premiers leur souveraineté, ils ont peut-être un peu hâté le malheur des autres Yougoslaves. Et si leur guerre d'indépendance a été si courte, c'est parce que les unités de l'armée fédérale tournées contre eux ont eu à faire face en Croatie à une menace plus dangereuse pour les visées du nationalisme serbe. Il serait injuste de le reprocher aux Slovènes ou à leurs dirigeants.

La fin de l'empire soviétique et celle des empires coloniaux britannique et français ont eu des causes bien différentes. Du point de vue de la liberté ou des chances de prospérité, la situation des citoyens de l'URSS était désolante. Du point de vue de l'égalité, elle était moins bonne que celle des citoyens des États démocratiques occidentaux, mais très probablement moins choquante que celle des habitants des colonies. Il n'existait pas, comme dans celles-ci, de différences visibles et officielles de statuts entre ceux qui sont citoyens et ceux qui ne le sont pas. L'inégalité la plus grave, celle qui existait entre les membres du parti

communiste et le reste de la population, ne correspondait pas à un clivage identitaire : des membres de
tous les groupes ethniques ou nationaux pouvaient
adhérer au parti par une décision individuelle. La clé
principale qui permet de comprendre l'aspiration à
l'indépendance dans les républiques de l'URSS n'est
pas le refus de l'inégalité mais la recherche de la
sécurité.

Pour certaines d'entre elles le bilan de sécurité de
l'indépendance est presque aussi bon que celui de la
Slovénie. C'est le cas des États baltes. La souveraineté
diminue les dangers que présentent pour eux d'éven-
tuels changements politiques catastrophiques à
Moscou. Et elle les dispense de participer aux conflits
entre leurs voisins de l'Est. Les jeunes Estoniens, Let-
tons et Lituaniens n'ont plus à faire de service
militaire dans une armée russe qui monte encore la
garde à la frontière entre le Tadjikistan et l'Afghanistan.

Ces avantages l'emportent de très loin sur les
difficultés économiques de la séparation, les
problèmes d'approvisionnement en ressources naturelles et de débouchés pour la production industrielle.
De toute façon, les économies ont été dévastées par
la planification centralisée d'abord et par son
effondrement ensuite. Elles sont à reconstruire, ce qui
est moins difficile dans un cadre plus petit, du moins
au début. Il sera bien temps, dans dix ans, de penser
aux problèmes que posera un marché intérieur trop
étroit. En outre, les États baltes ont des voisins de
rêve, la Suède et la Finlande, qui seront à long terme
des partenaires économiques beaucoup plus intéressants que la Russie.

En Estonie et en Lettonie vit une population russe nombreuse, dont la présence constitue une occasion de conflits intérieurs et extérieurs. Ces conflits sont très dangereux et pourraient en dégénérant faire perdre aux habitants de ces deux pays la sécurité qu'ils pensent avoir acquise en 1991. Mais il y a peu de raisons de supposer que le maintien d'un quelconque lien fédéral avec Moscou aurait aidé à les gérer pacifiquement.

Grâce à leur position géographique, c'est dans les États baltes que le bilan de sécurité de l'indépendance est le plus évidemment positif. Mais la préoccupation de la sécurité a été présente dans toutes les autres républiques. Entre 1989 et 1991, pour les citoyens soviétiques, la prudence n'était pas de procéder à des changements politiques graduels, comme c'est presque toujours le cas. Elle était de sortir au plus vite, tant que cela était possible, d'un espace politique qui, sous le nom de Russie ou celui d'URSS, avait été pendant quelques siècles exceptionnellement fécond en oppressions massives et en catastrophes sanglantes gigantesques. La catastrophe n'a pas encore eu lieu et elle n'est pas fatale. Il est possible que la Russie soit en train de découvrir, comme l'Espagne l'a fait depuis 20 ans, la façon de se gouverner pacifiquement. Mais il était néanmoins prudent pour ses voisins de se protéger par une frontière, quitte à souhaiter ensuite aux Russes bonne chance.

Le bilan de sécurité des indépendances est très inégal. L'Ukraine pourrait bénéficier presque autant que les États baltes des avantages qui résultent de la proximité des autres pays européens. Elle risque cependant, encore plus qu'eux, d'être entraînée dans des conflits de frontières ou de nationalismes avec la Russie. Dans le Caucase, le maintien d'un certain lien fédéral entre les républiques et avec Moscou aurait peut-être aidé à limiter la violence du conflit identitaire entre Arméniens et Azéris, ainsi qu'à empêcher celui qui oppose les Abkhazes aux Géorgiens de devenir violent. Les États d'Asie centrale occupent une position géographique très difficile. La mer Caspienne n'est pas une voie de communication aussi commode que la mer Baltique, et l'Iran et l'Afghanistan ne sont pas des voisins aussi reposants que la Suède et la Finlande.

Il existe d'autres cas d'indépendances réalisées en vue de la sécurité qui n'ont pas atteint leur but. La souveraineté du Biafra a été déclarée en 1967 pour assurer la sécurité des Ibos, qui avaient d'assez bonnes raisons de se sentir menacés au sein du Nigeria. Il en a résulté une guerre de sécession très meurtrière, qui a duré trois ans et s'est terminée par la victoire du gouvernement nigérian. Avec une sagesse qu'on n'attendait pas de lui, celui-ci a rapidement et complètement réintégré les ex-Biafrais dans la communauté civique nigériane, ce qui permet de penser après coup que l'indépendance de 1967 n'était pas une bonne idée.

Du point de vue de la sécurité de ses habitants, l'indépendance de la Bosnie-Herzégovine a été un désastre, mais il serait injuste de le reprocher aux dirigeants bosniaques. À cause de sa situation géographique et de l'hétérogénéité de son peuplement, ce pays avait besoin pour exister en paix de faire partie d'une fédération yougoslave, alors que les Slovènes auraient toujours pu s'en passer. En 1991 les Bosniaques musulmans, qui ont été les derniers Yougoslaves à essayer de sauver la fédération, assistent à la mort de celle-ci et au début d'une guerre entre la Serbie et la Croatie, qui se déroule sur le territoire croate et en partie sur celui de la Bosnie. Le gouvernement bosniaque a fait le calcul raisonnable qu'une souveraineté reconnue internationalement réduirait un peu le risque très élevé que la Bosnie soit entraînée dans la guerre de ses voisins, et qu'elle lui permettrait de recevoir de l'aide. Son erreur a été de ne pas prévoir qu'après avoir accordé cette reconnaissance, l'ONU et les principales puissances n'en tireraient aucune des conséquences qu'elle a normalement. La souveraineté n'a guère aidé les Bosniaques, mais elle n'a pas aggravé une situation qui était déjà tragique.

La première grande vague d'indépendances du XXᵉ siècle, celle qui a eu lieu à la fin de la Première Guerre mondiale, correspondait elle aussi principalement à des préoccupations de sécurité. À cet égard, l'indépendance de la Finlande, qui s'est séparée de la Russie en 1918, est sans aucun doute la plus avantageuse du siècle, même s'il a fallu pour la préserver livrer deux guerres entre 1939 et 1944. Le bilan des autres est parfois plus douteux. N'oublions pas que deux des États qui viennent de se diviser, la Yougoslavie et la Tchécoslovaquie, ont été créés en 1919 en invoquant le « principe des nationalités ».

Pour faire entrer les Québécois dans la catégorie des peuples qui ont besoin d'un État indépendant pour assurer leur sécurité, il faudrait, comme dans le cas de l'égalité, jouer sur les mots. Dans des expressions comme « sécurité culturelle » ou « sécurité linguistique », le mot « sécurité » a un sens très éloigné de celui qu'il a quand on l'utilise pour parler des dangers qui ont menacé récemment les Lituaniens ou les Slovènes. Que la sécurité sans adjectif puisse avoir besoin pour sa protection d'un État et de frontières, la plupart des humains peuvent le comprendre. Il n'est pas évident que les mêmes instruments soient nécessaires pour protéger la sécurité linguistique, quel que soit le sens donné à cette expression.

En outre, les indépendances pour raison de sécurité ont été souvent proclamées après qu'un État impérial eut été détruit à cause de circonstances historiques particulières. C'est le cas de la Russie en 1917, de l'Autriche-Hongrie en 1918 et de l'URSS en 1991. Si l'État canadien venait à disparaître et si chacune des dix provinces proclamait son indépendance, personne ne contesterait le droit du Québec de le faire. Mais, à la différence des républiques soviétiques en 1991, nous ne sommes pas du tout dans cette situation.

Il faut rappeler sans cesse que la plupart des États qui sont devenus indépendants au cours de l'histoire récente ont été créés pour tenter de résoudre un problème grave, soit d'égalité, soit de sécurité. Des préoccupations d'identité ou de fierté collective peuvent avoir joué un rôle dans la lutte pour l'indépendance, mais il est difficile de trouver des cas où celle-ci a été la solution de problèmes formulés seulement en ces termes. En général, les gens qui décident de fonder un État ne le font pas pour que le monde entier se rende compte qu'ils existent, ou parce qu'ils pensent que dans la vie d'un peuple comme dans celle d'une personne il vient un moment où il faut prendre en main son destin...

Les indépendances pour d'autres raisons

Les indépendances de la troisième catégorie, celles qui ne répondent ni à un besoin d'égalité ni à un besoin de sécurité, sont peu fréquentes. Plusieurs mouvements politiques contemporains correspondent à ce type de projet. Ce sont, entre autres, les nationalismes flamand et wallon en Belgique, corse en France, basque en Espagne, kurde en Turquie, québécois au Canada. Mais les indépendances effectivement réalisées en l'absence des deux motivations principales, égalité et sécurité, sont rares. J'en vois au moins deux, celle de la Norvège en 1905 et celle de la Slovaquie en 1992. Il y en a peut-être quelques autres (la séparation de Panama et de la Colombie en 1903? celle de Singapour et de la Malaysia en 1965?).

Le cas de la Norvège a souvent été mentionné par des indépendantistes québécois pour montrer qu'entre deux peuples civilisés une séparation sans aucune violence est possible. La Norvège, qui avait longtemps été une possession danoise, a été unie à la Suède en 1814 par les ententes diplomatiques qu'ont passées entre eux les vainqueurs de Napoléon. En 1905 le gouvernement norvégien demande l'indépendance et l'obtient après un référendum tenu le 13 août. Cette indépendance a laissé peu de rancœurs et aucun conflit entre les deux pays, qui ont été ensuite les meilleurs voisins du monde. Racontée ainsi, l'histoire est édifiante. Québécois et Canadiens, qui sont gens sérieux, sont capables de faire aussi bien.

Il y a une autre façon de la raconter, qui montre

pourquoi ce qui était si facile pour les Norvégiens ne le serait pas pour les Québécois. Entre 1814 et 1905, la Norvège et la Suède étaient en fait deux États presque entièrement indépendants l'un de l'autre. Ils avaient une frontière balisée, deux constitutions différentes, deux parlements et deux gouvernements, deux citoyennetés, deux monnaies et deux armées. Ils n'avaient en commun que la personne d'un roi presque sans pouvoir en Norvège depuis 1884, une politique étrangère et des services diplomatiques.

La volonté de séparation des Norvégiens avait un motif précis et utilitaire : ils étaient en train de se donner une immense flotte de commerce et voulaient des consulats dans le monde entier pour aider leurs marins. Les consulats n'intéressaient pas les Suédois. Les Norvégiens ont donc décidé de les créer seuls, et ils ont dû pour cela remplacer un roi suédois à temps partiel par un prince danois qui est devenu roi de Norvège à temps plein.

Il n'y a pas eu de budgets, d'impôts ou de fonctionnaires (sauf des diplomates) à transférer d'un appareil étatique à un autre. Il n'y a eu aucun imbroglio légal puisque les deux espaces juridiques étaient entièrement distincts. Et personne ne s'est senti dépossédé d'une citoyenneté à laquelle il tenait ou transformé en étranger sans avoir même changé d'adresse. Les citoyennetés étaient déjà distinctes et il n'y avait pour ainsi dire aucun Suédois en Norvège ni aucun Norvégien en Suède. Au référendum du 13 août 1905, il y eut 15 % d'abstentions, et parmi les 85 % de l'électorat (masculin et modérément censitaire) qui votèrent, seulement 1 vote sur 2000 était contre la séparation.

Cette indépendance ne changeait rien pour qui que ce soit, si ce n'est pour les marins et les consuls. Elle ne menaçait les intérêts ou les croyances de presque personne et ne pouvait donc susciter aucun conflit sérieux. Pourtant, avant que soit prise la décision de tenir un référendum, des Norvégiens étaient occupés à rafistoler des forteresses à la frontière entre les deux pays et l'armée suédoise était en alerte. Si une affaire aussi simple a pu entraîner des bruits de bottes, on ne devrait pas l'utiliser comme exemple pour montrer qu'une séparation d'États peut être sans danger.

L'indépendance de la Norvège ne ressemble pas du tout à ce que pourrait être celle du Québec, mais bien évidemment à ce qu'a été celle du Canada par rapport à la Grande-Bretagne en 1931 (avec une différence, nous avons gardé le roi à temps partiel). Il s'est agi d'une formalité. L'histoire a ensuite continué son cours comme si rien ne s'était passé, sauf peut-être sur un point. En 1940 la Norvège, très faible militairement, a été envahie par l'Allemagne et occupée pendant cinq ans. Plus peuplée et mieux armée, la Suède ne l'a pas été. Je ne sais pas si des Norvégiens ont pensé après coup que le maintien de l'union avec la Suède aurait peut-être dissuadé Hitler de les attaquer.

L'indépendance de la Slovaquie à la fin de l'année 1992 ressemble un peu plus à ce qui nous attend peut-être. Il s'agit vraiment cette fois du démembrement d'un État fédéral ayant une citoyenneté, une monnaie, une armée et beaucoup de services administratifs communs.

Il est difficile de comprendre pourquoi des

Slovaques ont voulu la séparation. Ce n'était pas à cause d'un problème de sécurité. La revendication slovaque d'indépendance vient immédiatement après de nombreuses autres, en URSS et en Yougoslavie, dont la raison principale était la recherche de la sécurité. Mais cette revendication s'est déclarée dans un contexte tout différent, où la menace du parti unique et de l'armée rouge avait complètement disparu. La solution au problème de sécurité venait d'être trouvée dans le cadre de la Tchécoslovaquie. Diviser celle-ci n'y ajoutait rien. Ce n'était pas non plus à cause de problèmes d'égalité, sauf si on les confond avec des problèmes de susceptibilité.

Il est permis de penser que les Slovaques qui ont vraiment voulu l'indépendance n'étaient pas très nombreux. Les gouvernements des deux États fédérés, tchèque et slovaque, issus des élections qui ont eu lieu en juin 1992, se sont entendus entre eux pour décider la séparation et en régler les modalités. Ils ont pris bien soin de mettre le gouvernement fédéral dans l'impossibilité d'intervenir, et de ne pas consulter les populations concernées.

Il s'est surtout passé dans cette affaire quelque chose d'inhabituel : le gouvernement tchèque a agi en séparatiste autant que son homologue slovaque. C'est ce dernier qui a amorcé le processus à partir d'une *position de négociation* ferme : une demande de transfert des pouvoirs de l'État fédéral à l'État slovaque accompagnée d'une *concession* généreuse, l'offre d'une association avec les Tchèques afin de leur rendre la séparation moins pénible. Le gouvernement tchèque a répondu qu'il acceptait le maintien en l'état de la fédération ou l'indépendance de la Slovaquie, mais qu'il ne voulait pas d'une association qui rendrait la séparation encore plus pénible. Le gouvernement slovaque n'a pas pu se dépêtrer de ce qui était peut-être un bluff et l'affaire a été bâclée en six mois. Je ne sais pas s'il faut classer l'indépendance de la Slovaquie dans la catégorie des séparations par inadvertance ou dans celle des séparations par expulsion.

Il n'est pas inutile de réfléchir à ce que pourrait être une séparation par inadvertance ou par expulsion dans le cas du Québec. Mais il faut souligner qu'il y a au moins deux différences très importantes entre la situation tchécoslovaque et la nôtre.

La première est que le processus de séparation a été amorcé là-bas moins de trois ans après l'effondrement du régime communiste. Les Slovaques et les Tchèques étaient donc déjà engagés dans un travail important de reconstruction politique, juridique et économique. Un des obstacles à l'indépendance du Québec est le fait que certains se rendent bien compte de l'énormité du chantier institutionnel qu'il faudra ouvrir si elle a lieu. En Tchécoslovaquie, le chantier était déjà ouvert de toute façon. Si le problème de la séparation ou d'un réaménagement des relations entre les deux États fédérés devait être réglé, il valait mieux le faire immédiatement plutôt que d'attendre dix ans et d'avoir à reconstruire deux fois les mêmes institutions.

La seconde différence est que nos habitudes démocratiques et nos traditions juridiques empêcheraient complètement que les problèmes de la séparation soient réglés en six mois par deux chefs de gouvernement qui se rencontrent environ une fois par mois. Pour chacune des questions qu'ils auraient à aborder, ils seraient assiégés par toutes sortes de groupes ayant des points de vue à faire valoir ou des droits acquis à défendre. Il faudrait laisser le temps aux tribunaux de se prononcer sur les innombrables recours qui leur seraient présentés. Il n'est pas inconcevable qu'un processus ayant certaines analogies avec celui qui a eu lieu entre Slovaques et Tchèques puisse s'amorcer entre nous. Mais il n'y a aucune chance, ni aucun risque, qu'il aboutisse aussi rapidement.

L'analogie principale entre ce qui est arrivé aux Tchécoslovaques et ce qui pourrait nous arriver est le caractère déterminant qu'un concours de circonstances a eu chez eux et pourrait avoir chez nous. Quand la Tchécoslovaquie retrouve une vie politique libre à la fin de 1989, il est prévisible que le débat institutionnel entre Slovaques et Tchèques va être rouvert et qu'il aura des conséquences ressemblant à celles qu'on connaît en Belgique ou au Canada. Mais, pas plus que dans ces deux derniers pays, il n'était fatal qu'une séparation ait lieu, encore moins qu'elle se fasse si vite. La date des élections de juin 1992, la personnalité des deux chefs de gouvernement, les stratégies qu'ils ont adoptées et plusieurs autres éléments circonstanciels ont été nécessaires pour produire un résultat qui aurait facilement pu être différent.

Il est bien clair que l'indépendance du Québec n'est pas non plus fatale et qu'elle est même très improbable si les circonstances ne viennent pas en aide aux indépendantistes. Certains d'entre eux le savent et c'est ce qui explique l'atmosphère bien

particulière de la deuxième moitié de l'année 1990,
quand ils ont cru qu'un événement inattendu,
l'accord du lac Meech et l'échec de sa ratification,
leur offrait l'occasion de relancer un mouvement qui
semblait presque complètement arrêté trois ans plus
tôt. Un coup de pouce des circonstances est nécessaire, parce que les raisons de faire l'indépendance
sont si peu évidentes qu'elles divisent les indépendantistes eux-mêmes.

À certains on a enseigné l'histoire du Canada
comme celle d'un fleuve d'iniquités coulant dans une
vallée de larmes, et ils attendent de l'indépendance
qu'elle lave toutes les humiliations de leurs ancêtres.
D'autres sont exaspérés par les discours de ce type
mais croient qu'ils ne pourront pas disparaître de la
circulation tant que l'indépendance n'aura pas été
faite. Certains pensent que celle-ci rendrait possible
une intervention étatique accrue dans l'économie. Il
y a 20 ans on entendait même parler d'un Québec
socialiste. D'autres souhaitent l'indépendance pour
faire du Québec un paradis fiscal. Certains, sans le
dire trop fort, veulent l'indépendance pour que le
Québec puisse faire des lois linguistiques contrai-
gnantes sans que la Cour suprême du Canada y
vienne mettre son nez. D'autres disent que la souveraineté suffira pour assurer l'avenir du français et
qu'elle rendra inutiles les lois linguistiques contrai-
gnantes.

On ne pourra donc trouver une majorité de
Québécois en faveur de l'indépendance qu'en
utilisant des arguments neutres par rapport à ces
objectifs divergents. Il y a l'argument tactique qui a
déjà servi en 1980: dites « oui » à la souveraineté pour

créer un rapport de forces favorable qui permettra d'obtenir autre chose. Il y a l'argument fataliste : le Canada ne fonctionne plus ; c'est dommage car c'était peut-être une assez bonne idée ; mais plutôt que de se lamenter il faut passer à autre chose ; l'indépendance est la seule option qui nous reste. Et il y a l'argument ultime : toutes ces discussions sont fatigantes, il faut en finir une bonne fois.

Les arguments « le Canada ne fonctionne plus » et « il faut en finir » ne peuvent être efficaces que si les circonstances leur donnent une certaine apparence de crédibilité. De 1990 à 1992 ils ont eu le vent en poupe. En réalité, le Canada fonctionnait. Ni bien ni mal, comme d'habitude. Ce qui ne fonctionnait pas du tout, c'est la réforme de la constitution, bloquée par une procédure de modification inutilement compliquée et peut-être aussi par les méthodes de négociation de nos politiciens. Il a été possible de faire croire au public que le fonctionnement du Canada se réduit à celui de ses dirigeants politiques et que la réussite de ces derniers se juge exclusivement à leur capacité de faire bouger cette maudite procédure de modification constitutionnelle coincée.

Il est impossible de prévoir les événements qui pourraient donner à ces arguments l'occasion de faire un nouveau tour de piste. Cela dépendra un peu du savoir-faire des politiciens fédéraux et beaucoup d'un concours de circonstances. Nous pourrions par conséquent nous retrouver, comme les Tchécoslovaques en juillet 1992, affublés sans l'avoir voulu clairement de gouvernants occupés à nous séparer.

Comment on devient indépendant

Si le projet d'indépendance obtient dans un référendum les votes d'une majorité d'électeurs québécois, ce sera parce qu'une partie d'entre eux auront été convaincus par l'argument « tout est devenu trop compliqué, il faut en finir ». Leur réaction sera intéressante à observer quand ils se rendront compte que la séparation a pour conséquence, au moins au début et pendant quelques années, une énorme augmentation de la complexité des problèmes, une multiplication des occasions de conflits entre Québécois et une obligation accrue de négocier avec le gouvernement fédéral dans des conditions de plus en plus acrimonieuses.

Lors du référendum de 1980, beaucoup de Québécois ont semblé croire que la difficulté principale serait de définir et de mettre en place une association avec le Canada. C'était une illusion rassurante. Les difficultés principales seront évidemment celles de la séparation proprement dite : toutes ces activités organisées d'une certaine façon qu'il va falloir organiser autrement ; toutes ces institutions étroitement imbriquées dans lesquelles il faudra trancher. Les problèmes que cela posera seront d'au moins quatre ordres : le partage des ressources matérielles et humaines, la continuité du droit, l'intégrité du territoire du nouvel État et la citoyenneté.

Le partage des ressources

Le partage des ressources matérielles soulèvera une série de difficultés que je rappelle rapidement. Il faudra d'abord s'entendre avec le gouvernement fédéral sur des questions de dates. Quand cesserons-nous de lui payer des impôts ? Quand cessera-t-il de verser des salaires, des pensions, des allocations ou des subventions à des personnes, des institutions ou des entreprises situées au Québec ? Est-il commode et financièrement équitable qu'il y ait une date unique pour toutes ces opérations ? Si j'étais fiscaliste, je pourrais sûrement faire une liste de questions plus détaillée. Les réponses à une partie d'entre elles seraient l'objet d'obscurs débats techniques entre experts.

Il y aura ensuite des problèmes de partage de biens immobiliers. Une solution simple prévaudra sans doute : tous les biens fédéraux situés au Québec deviendront québécois ; tous ceux qui sont situés ailleurs au Canada resteront canadiens. Il n'est pas évident que ce critère territorial soit toujours juste. Un inventaire des œuvres d'art dans les musées fédéraux montrerait peut-être des déséquilibres importants en faveur du Québec ou à son détriment.

Presque tout le monde s'en fiche, sauf quelques petits groupes de bibliophiles ou de muséologues qui en feront tout un plat. Dans les six mois précédant l'indépendance, on racontera de sombres histoires de déménagements nocturnes destinés à nous arracher les joyaux de notre patrimoine. Vraies ou inventées, elles seront d'un aussi bel effet que les histoires de drapeaux piétinés.

Et il faudra partager tous les biens pour lesquels le critère territorial est inopérant, les avions, les bateaux, les ambassades... Celle de Tokyo occupe un terrain qui en fait un bâtiment dont le prix de vente pourrait être l'un des plus élevés du monde. Ça vaut bien une petite dispute.

Et la dette en mérite une grosse. Aucun critère factuel ou rationnel incontestable ne permet de décider comment elle doit être partagée. On pourrait le faire en proportion de la population. Ce critère n'est pas plus juste qu'un autre, mais il aurait l'air assez juste parce qu'il fait appel à des chiffres que beaucoup de gens connaissent et comprennent. Des critères tout aussi équitables, part du Québec dans le PIB, dans les recettes fiscales des cinq dernières années, dans les dépenses publiques depuis 20 ans, ou autres, reposent sur des chiffres inconnus de la plupart des gens et incompréhensibles pour beaucoup d'entre eux. Ils sembleront donc plus arbitraires et seront plus faciles à contester.

Même si les politiciens arrivent à se mettre d'accord sur un chiffre présentable, il ne sera pas accepté par tous. Au Québec des prophètes expliqueront à coup d'équations mathématiques qu'en justice naturelle nous ne devons garder à notre charge que 15 % de la dette ; tout ce qui dépasse est la « rançon » exigée par les Anglais pour notre liberté. Dans les autres provinces d'autres prophètes expliqueront qu'en dessous de 30 % on les vole. L'enjeu financier est énorme. Les politiciens sont élus et ne peuvent pas ignorer complètement les intérêts de leurs électeurs-contribuables. Leur liberté d'action et leur volonté d'arriver à un règlement raisonnable seront entravées par ces polémiques.

Si les décideurs politiques sont coopératifs et décidés à conclure, les questions précédentes pourront être réglées sans trop de récriminations. Mais, si certains d'entre eux pensent que c'est leur intérêt ou leur devoir de compliquer les choses pour les faire traîner en longueur, ils seront heureux comme des poissons d'eau douce dans le lac Baïkal.

Les transferts de fonctionnaires de l'administration fédérale à l'administration provinciale, devenue nationale, mettront directement en cause les intérêts de certaines personnes et de certains groupes. Ils offriront donc de bien plus belles occasions de conflit.

Demandons-nous d'abord où seront faites ces économies dont on nous assure qu'elles seront rendues possibles par la suppression des dédoublements de fonctions entre les deux administrations. Les dirigeants indépendantistes promettent de ne couper ni dans les transferts (versements aux personnes, subventions aux entreprises, service de la dette), ni dans les salaires (ceux des fonctionnaires et ceux des employés des fournisseurs québécois de l'État fédéral), qui représentent quasiment la totalité des dépenses publiques. Il sera possible de mégoter un peu sur les achats à des fournisseurs qui ne sont pas situés au Québec.

Pour que des économies sérieuses soient possibles grâce à l'indépendance, il faudrait que celle-ci soit l'occasion d'une diminution importante du nombre total des fonctionnaires qui sont présentement à la charge des contribuables québécois. C'est un résultat facile à obtenir. Il suffit de faire des règles de réintégration des fonctionnaires fédéraux dans la fonction publique québécoise qui soient assez rébarbatives pour que presque personne ne soit tenté par le transfert. La plupart des fonctionnaires fédéraux québécois resteraient à la charge du Canada, en déménageant s'il le faut pour conserver leur emploi, et le Québec indépendant se débrouillerait sans eux.

Il n'est pas très probable qu'on agisse d'une manière aussi crapoteuse. Nous assisterons donc avant l'indépendance à l'équivalent d'une gigantesque négociation de renouvellement des conventions collectives du secteur public, pour définir les règles de transfert de carrière des soldats, des juges, des gardiens de phares, des agents de la Gendarmerie royale et de beaucoup d'autres catégories professionnelles. Comme il est inévitable que de nombreux cas particuliers passent inaperçus pendant la négociation, on les découvrira ensuite et ils feront pendant des années la fortune des avocats.

Parmi les fonctionnaires fédéraux concernés il y aura une majorité de gens préoccupés seulement par leur emploi et leurs conditions de travail, une minorité d'indépendantistes convaincus, qui ne seront pas prêts pour autant à accepter n'importe quel sacrifice, et une minorité de gens hostiles par principe

à l'indépendance. Ces derniers ne feront de cadeau
à personne et utiliseront toutes les occasions de compliquer les choses. Le gouvernement et ses fidèles
éditorialistes leur en feront reproche. La tentation
sera grande d'utiliser des accusations de mauvaise foi
ou de sabotage contre tous les récalcitrants, y compris
ceux dont les préoccupations seront purement professionnelles ou financières. Pour nous tous qui ne
comprenons rien aux règles de carrière des fonctionnaires, il sera impossible de savoir qui dit la vérité
et qui ment dans ces polémiques.

Il y a là un point qui est évidemment plus
dangereux que le conflit pour le partage de la dette.
Ce dernier opposera des gouvernements entre eux et
aura pour les contribuables des conséquences
financières diffuses. Les conflits qui seront suscités
avant ou après l'indépendance par des problèmes de
transfert de carrière opposeront d'un côté un
gouvernement soutenu par des électeurs et de l'autre
des groupes bien identifiables. C'est comme cela
qu'apparaîtront parmi nous les agents provocateurs
et les boucs émissaires.

La continuité du droit

Mais, pour que ces problèmes puissent trouver
une solution, il faudra que l'ensemble du processus
de séparation ne soit pas bloqué par un autre
problème, celui de la continuité du droit.

Son aspect le plus simple est aussi une affaire de
dates. À partir de quand les actions judiciaires
intentées au Québec cessent-elles de pouvoir aller en
appel devant la Cour suprême du Canada? Est-il
juste que cette possibilité disparaisse pour les causes

qui étaient engagées bien avant que la date de l'indépendance soit connue? Quels critères faut-il appliquer pour partager les détenus qui sont dans les prisons fédérales? Toutes ces questions pourront trouver des réponses. La difficulté sera d'en trouver qui soient acceptables par presque tous les intéressés et qui ne laissent pas en suspens un trop grand nombre de cas particuliers. Encore un beau terrain de manœuvre pour des avocats.

Les dates des élections aussi auront de l'importance. Le gouvernement du Québec préférera sans doute conclure avant d'avoir à se soumettre à une autre élection. Ses adversaires pourront donc être tentés de faire traîner les choses. Des élections fédérales pourraient survenir à n'importe quel moment, après dissolution de la chambre ou à cause de l'échéance normale. Il serait peut-être difficile politiquement de les tenir au Québec un mois avant la date prévue pour l'indépendance, mais il serait probablement impossible juridiquement de ne pas le faire.

À l'approche de l'indépendance, la situation des membres de la Chambre des communes élus au Québec sera de plus en plus délicate. On imagine mal, par exemple, qu'ils aient le droit de déterminer par leurs votes la position du Canada sur le partage de la dette. Mais s'ils cessent avant l'indépendance d'avoir le droit de siéger, leurs électeurs pourront attaquer en justice le gouvernement fédéral pour avoir été privés d'un droit fondamental, celui d'être représentés.

J'attire l'attention sur ce dernier point. L'utilisation qui est faite par les nationalistes de l'expression «le

Canada anglais » tend à accréditer l'idée qu'il existe un conflit sans bavure entre les intérêts des Québécois et ceux des habitants des provinces à majorité anglophone. Mais, bien évidemment, les conflits les plus graves soulevés par l'indépendance opposeront des Québécois entre eux. La plupart des actions judiciaires suscitées par la séparation proviendront de Québécois hostiles à l'indépendance. Pour ceux-ci, une des meilleures stratégies sera d'attaquer le gouvernement fédéral devant les tribunaux pour le mettre dans l'impossibilité d'accepter les demandes du gouvernement provincial.

Mais la principale difficulté juridique de toute l'entreprise sera celle de la continuité légale de l'autorité étatique. Les indépendantistes semblent croire que le gouvernement fédéral est propriétaire de ses propres pouvoirs, dont il pourrait disposer à sa guise. Ce n'est heureusement pas le cas, ni au Canada, ni dans aucun autre pays civilisé depuis la fin des monarchies absolues. Face à une demande de séparation, le gouvernement fédéral devrait probablement répondre qu'il ne peut agir que dans le cadre des pouvoirs que lui donne la constitution du Canada. Celle-ci ne prévoit pas la séparation d'une province et mentionne la province de Québec dans plusieurs de ses articles. Donc, pour agir d'une manière incontestable en droit, il faudrait commencer par modifier la constitution, soit pour qu'elle dise à partir de quelle date le Québec est indépendant, soit pour qu'elle dise qu'une province a le droit de se séparer et quelle procédure elle doit suivre pour le faire. On imagine les cris des indépendantistes.

Si le gouvernement fédéral tentait d'adopter une

attitude plus conciliante, il n'est pas sûr qu'il pourrait le faire. Il y aurait évidemment des groupes qui engageraient des actions judiciaires pour l'obliger à adopter la position d'impuissance légale que je viens de résumer. Ils n'obtiendraient peut-être pas gain de cause devant les tribunaux, mais ils gagneraient beaucoup de temps et en feraient perdre beaucoup à leurs adversaires.

Si on lui oppose le droit des peuples à l'auto-détermination, le gouvernement fédéral pourra répondre qu'il ne refuse ce droit à aucun peuple ni au Canada ni ailleurs. Il se déclare seulement incompétent pour en organiser la mise en œuvre et recommande qu'on s'adresse à l'autorité constituante, qui est probablement au Canada celle qui a la compétence de le faire. Je rappelle que l'autorité constituante du Canada est définie par la procédure de modification de la constitution. Elle est exercée par la Chambre des communes et le Sénat, conjointement avec, selon les cas, soit les assemblées législatives des dix provinces, soit celles des deux tiers des provinces représentant au moins la moitié de la population de celles-ci. On pourrait engager des actions judiciaires contre le gouvernement pour l'obliger à adopter une interprétation différente. Cela ferait perdre aux uns et gagner aux autres beaucoup de temps.

Après un référendum au Québec qui donnerait une majorité écrasante en faveur de l'indépendance, il serait politiquement prudent que le gouvernement fédéral décide que le moindre mal est de faciliter une séparation devenue inévitable. Il faudrait qu'il fasse adopter rapidement une modification de la constitution définissant une procédure simple de séparation. Ensuite il discuterait avec le gouvernement provincial, dans le cadre de cette procédure, pour régler en limitant les dégâts les problèmes pratiques que j'ai mentionnés dans la section précédente et tous ceux dont j'ai oublié de parler. La probabilité que les choses se passent ainsi est évidemment très faible.

Mais, si le vote en faveur de l'indépendance a été gagné de justesse, il sera raisonnable de penser que l'électorat québécois peut encore changer et que le moindre mal est de lui donner une chance de le faire. Deux ou trois ans de dialogue de sourds entre Québec et Ottawa montreraient que l'indépendance n'est pas le moyen de sortir des blocages constitutionnels mais qu'elle oblige à y replonger plus profondément que jamais. On se rendrait ainsi jusqu'à la prochaine échéance électorale provinciale ou jusqu'à une dissolution de la Chambre des communes décidée au moment opportun pour que l'élection se fasse au Québec sur le thème «tout est devenu trop compliqué, il faut en finir avec l'idée de séparation». Cela pourrait être une stratégie efficace ou dangereuse, selon que le résultat de ces élections marquerait un recul ou un progrès de l'idée d'indépendance.

Face à un gouvernement fédéral décidé à faire de l'obstruction, le gouvernement provincial pourrait procéder à des mesures unilatérales de séparation. Exemples : à telle date plus personne au Québec ne paye d'impôts à Ottawa ; à telle date la Sûreté du Québec prend le contrôle des bureaux de la Gendarmerie royale. Nous serions alors dans une situation très périlleuse. Si le gouvernement du

COMMENT ON DEVIENT INDÉPENDANT • 71

Québec cesse de gouverner par la loi pour recourir à des faits accomplis, certains de ses adversaires à l'intérieur de la province continueront à respecter les lois fédérales et certains d'entre eux se mettront à agir eux aussi en dehors de toute loi.

La règle de droit est un des éléments fondamentaux de l'édifice institutionnel qui nous protège contre la violence. Si la séparation a lieu, il sera dans l'intérêt de nous tous, et aussi dans l'intérêt du gouvernement séparatiste, qu'elle soit faite sans rupture de continuité légale. C'est possible, mais difficile, et cela suppose une coopération très étroite entre les deux gouvernements. Justement ce que les indépendantistes détestent et ce à quoi ils promettent de mettre fin. S'ils gagnent un référendum sur la souveraineté, ils feront ensuite la découverte pénible qu'il faut ou bien menacer de procéder à des gestes unilatéraux et prendre le risque de l'illégalité et de la violence, ou bien accepter que l'État fédéral soit entièrement maître, ou presque, de la procédure d'accession à la souveraineté.

L'intégrité du territoire

L'invocation du droit des peuples à l'autodétermination ne permettrait pas de sortir de la difficulté. Il ne comporte ni indication sur la procédure à suivre pour sa mise en œuvre, ni définition claire de ce qu'est un peuple. Face aux chefs amérindiens qui contestent le droit du Québec à l'autodétermination et à l'intégrité de son territoire en cas d'indépendance, certains politiciens et éditorialistes brandissent un rapport d'experts internationaux qui est censé trancher ces deux questions. Ils oublient rarement de nous énumérer les titres de ces experts et de préciser que leur avis fait 70 pages. Ils sont plus discrets sur le contenu de leur argumentation, de peur que nous nous rendions compte par nous-mêmes qu'ils n'ont pas dit exactement, ou pas seulement, ce qu'on leur fait dire.

Ces tentatives d'intimidation juridique révèlent une incompréhension grave de ce qui fait l'efficacité du droit pour régler les conflits. Sur presque n'importe quelle question, on peut trouver plusieurs interprétations juridiques, qui arrivent à des conclusions opposées. Si ça n'était pas le cas, il n'y aurait presque jamais de procès. Les plaideurs se rendraient compte du résultat prévisible d'une action judiciaire, et celui des deux qui doit perdre renoncerait pour économiser les frais de justice. Nous savons que ce n'est pas ce qui arrive. Les démonstrations juridiques sont complexes, ésotériques, souvent très peu convaincantes pour le profane. Elles sont faites par des techniciens du droit pour influencer la décision d'un juge qui est lui aussi un technicien du droit. Les juges eux-mêmes hésitent avant de décider quelle conclusion retenir et ils se contredisent souvent entre eux.

La confiance du public dans la règle de droit n'est pas une confiance dans le raisonnement juridique, mais une confiance dans la procédure judiciaire. Elle est la croyance qu'il vaut mieux s'en remettre à un arbitre pour régler certains conflits, plutôt que de le faire à coups de gourdin. Elle n'est pas la croyance que les décisions des juges sont toujours les plus justes possibles. Elle n'est surtout pas la croyance qu'on doit se soumettre à n'importe quelle conclusion signée par un juriste ou un groupe de juristes.

S'il existait un juge à qui soit reconnue la compétence de décider qui est un peuple ayant le droit à l'autodétermination et qui ne l'est pas, quelles sont les frontières qui sont intangibles et lesquelles peuvent être modifiées, les démonstrations juridiques seraient pertinentes. Puisque ce juge n'existe pas, elles ne sont que des arguments de propagande parmi d'autres, dont la valeur dépend du nombre de gens qu'elles arrivent à convaincre. Sur le droit à l'autodétermination et sur l'intangibilité des frontières, je n'ai à ce jour rencontré personne qui ait changé d'opinion à cause d'une démonstration juridique.

Presque toujours dans une polémique comme celle-là, les conclusions précèdent les principes et on ne prêche qu'à ceux qui sont déjà convaincus. Il reste cependant un petit nombre d'entre nous qui sont prêts à discuter de bonne foi, à écouter les arguments des autres et à accepter le risque d'avoir à changer d'avis. Ils ne seront pas convaincus par des arguments d'autorité, mais par des raisons qu'ils pourront comprendre eux-mêmes.

Tant qu'on ne m'aura pas convaincu d'en changer, mon opinion sur l'autodétermination et l'intégrité du territoire est la suivante. Parmi les principes fondamentaux de la vie en société, celui de l'égalité des droits entre les humains a priorité sur le droit des peuples à l'autodétermination. Par conséquent, il est odieux de refuser aux autres un droit qu'on s'accorde à soi-même. Si les Québécois ont le droit de décider qu'ils sont un peuple distinct du peuple canadien, les Amérindiens, les Gaspésiens, les habitants de l'ouest de Montréal ou d'autres ont un droit équivalent. Ils peuvent décider qu'ils sont des peuples distincts du peuple québécois ou qu'ils ne sont pas des peuples distincts du peuple canadien. Ce ne sont pas les anti-séparatistes qui ont soulevé le problème ; la seule autodétermination qu'ils demandent est le droit de conserver le statut qui est déjà le leur. Il serait complètement paradoxal que le droit des uns de changer de statut politique entraîne le droit pour eux d'imposer à d'autres un changement dont ces derniers ne veulent pas.

Il ne s'agit pas là d'un raisonnement juridique. Je ne prétends nullement qu'on doive l'accepter et je sais que beaucoup ne l'accepteront pas. Mais je sais aussi que beaucoup l'acceptent et qu'on ne les fera pas changer d'avis en leur lançant à la tête des références de rapports d'experts juridiques. Il faudra discuter avec eux ou on risque fort d'avoir un jour à leur donner des coups de gourdin.

Tout serait moins difficile s'il existait un juge pour arbitrer nos désaccords. Nous en avons un, la Cour suprême du Canada. Je doute qu'elle veuille décider qui est un peuple et qui ne l'est pas, problème insoluble par excellence. Mais elle pourrait régler beaucoup de difficultés si le droit en vigueur au Canada lui donnait les moyens de le faire. On revient donc à l'idée de commencer par modifier la constitution du Canada pour lui faire reconnaître le droit des *provinces,* et non pas des *peuples,* à l'autodétermination. Cela permettrait de faire l'économie de beaucoup de débats sans issue et réglerait la question de l'intégrité du territoire. La notion de « peuple » est équivoque. Au Canada, celle de « province » est tout à fait claire.

Nous n'irions pas jusqu'à prétendre que l'autodétermination est un droit naturel pour toutes les provinces dans le monde. Nous dirions seulement que, par une convention entre nous, les provinces ont ce droit au Canada. L'indépendance du Québec n'aurait plus besoin d'être faite au nom d'un droit des peuples ambigu et mal défini, qui a toujours été utilisé seulement comme argument de propagande et qui n'a jamais empêché aucune tuerie. Elle serait faite au nom d'un droit spécifiquement canadien, que, fidèles à nos traditions, nous adopterions pour limiter les risques de violence entre nous.

Cela ne suffirait peut-être pas pour éviter complètement que quelques adversaires irréductibles de la séparation s'en aillent dans les bois avec des fusils. Mais cela les placerait dans une situation qui les découragerait de le faire. Ils seraient invités à se soumettre à l'inévitable non seulement par un gouvernement séparatiste illégitime à leurs yeux mais aussi par le gouvernement fédéral et les juges canadiens. On ne leur tiendrait plus le discours choquant qui consiste à proclamer un droit absolu et à trouver immédiatement des raisons de les en exclure. On leur présenterait le droit à l'autodétermination des provinces comme une règle contingente, adoptée pour des raisons de prudence, dont la procédure de mise en œuvre devrait comporter des précautions destinées à les rassurer.

Je ne souhaite pas du tout l'indépendance du Québec, mais, si celle-ci ne peut pas être évitée, je souhaite qu'elle soit faite de la façon que je viens d'exposer. Toute autre méthode comporterait des risques graves de rupture de continuité légale, donc de recours à des faits accomplis et à la violence.

Malheureusement, la méthode qui serait la plus prudente n'est pas celle dont l'adoption est la plus probable.

La citoyenneté

Les difficultés qui résulteront des problèmes de citoyenneté seront aussi graves que celles dont on vient de parler.

Commençons par une observation très élémentaire. Aujourd'hui, environ 10 % des habitants du Canada préféreraient être citoyens d'un autre État. Nous savons les difficultés que cette situation entraîne pour ce pays. Dans un Québec indépendant, il y aura entre 25 % et 45 % des habitants qui seront furieux de ne plus vivre au Canada, ce qui entraînera, bien sûr, des difficultés beaucoup plus graves.

Il ne s'agit pas d'un argument de droit, mais d'un argument de prudence ou d'opportunité. Je reviendrai plus loin sur les difficultés qui résultent de l'idée que l'existence des États ou leurs frontières peuvent être décidées à la majorité. Admettons pour l'instant qu'une majorité au Québec ait effectivement le droit de décider la séparation. Mon argument est que certains droits existent qu'il n'est parfois pas raisonnable d'exercer. Il n'est pas raisonnable de vouloir remplacer la situation présente, qui est frustrante pour beaucoup d'entre nous, par une autre situation qui sera bien plus frustrante pour un nombre de personnes presque aussi grand.

La frustration des indépendantistes d'aujourd'hui n'est évidemment pas très grande. Ils préféreraient avoir un passeport québécois et voyagent sans problème avec leur passeport canadien. Ils préféreraient qu'il n'y ait qu'un niveau de gouvernement et demandent volontiers des subventions aux organismes fédéraux. Il est d'ailleurs parfaitement normal que les choses se passent ainsi. Cependant, s'ils veulent nous faire croire que la situation présente leur est insupportable, il est très facile de leur montrer qu'ils ne l'aiment peut-être pas mais qu'ils la supportent très bien.

Il faudra du temps après l'indépendance pour que ceux qui préfèrent ne pas être citoyens du Québec se persuadent que leur nouvelle situation est supportable au même degré. Pour les en convaincre, il faudra être envers eux très rassurant, au moins autant que l'est aujourd'hui l'État canadien envers les indépendantistes québécois. Il faudra, par exemple, qu'un des leaders anglophones de la résistance contre l'indépendance puisse être nommé ambassadeur du Québec à Washington ou à Londres et puisse devenir ensuite l'un des principaux membres du gouvernement.

Un nationaliste pourrait arguer qu'aujourd'hui une majorité canadienne impose à la minorité québécoise indépendantiste un statut politique qu'elle n'aime pas. De la même façon, dans un Québec indépendant, la majorité imposera à la minorité un statut qu'elle n'aimera pas. Dès lors qu'il y aurait une majorité au Québec en faveur de l'indépendance, le nombre total des mécontents serait moins grand dans la deuxième situation que dans la première.

Cette symétrie n'est qu'apparente. Ce n'est pas la majorité canadienne qui impose aux indépendantistes québécois d'être canadiens. Ce statut leur a été imposé par le hasard de leur naissance et par les résultats d'une évolution historique dont n'est responsable personne qui soit encore vivant. Mais, après une éventuelle séparation, pour ceux qui auraient préféré rester canadiens et continuer à vivre en même temps au Québec et au Canada, l'idée que c'est la majorité qui leur a imposé un statut dont ils ne voulaient pas correspondra exactement à la réalité.

Si le Québec était indépendant depuis 50 ans, l'insatisfaction des frustrés de l'indépendance ne serait pas un problème plus grave que celle des frustrés du fédéralisme dans le Canada d'aujourd'hui. Mais, pendant le processus de séparation, elle sera un problème beaucoup plus grave. Nous savons combien il est fatigant d'avoir parmi nous un certain nombre de gens qui guettent avec gourmandise tout ce qui va mal et en rendent responsable la structure fédérale de l'État. Après la séparation, au moins 20 % d'entre nous, peut-être bien plus, auront la même attitude envers le nouvel État du Québec. Ils en guetteront toutes les difficultés pour en rendre responsable l'indépendance. C'est pour cette raison que les problèmes de partage de ressources et de transferts de fonctionnaires risquent d'entraîner une multitude de conflits.

Certaines mesures légales peuvent aggraver les choses ou les rendre moins difficiles. Les dirigeants indépendantistes annoncent que les Québécois qui le désireront pourront demander à conserver la citoyenneté canadienne. C'est un bon mouvement de leur part, mais cela risque de produire un résultat un peu embarrassant : 40 % des habitants d'un pays qui demandent à être citoyens du pays voisin. Ou même 60 % d'entre eux car, à côté de ceux qui voudront rester canadiens par conviction, il y aura tous ceux qui ont voté pour l'indépendance mais ont des enfants et pensent qu'on n'est jamais trop prudent.

Remarquons en passant qu'il est assez inquiétant que les dirigeants indépendantistes, et même parfois certains politiciens fédéraux canadiens, parlent ou écrivent comme s'ils croyaient qu'un parlement est propriétaire de la citoyenneté de ceux qui l'ont élu et a le pouvoir de la retirer à certains d'entre eux. Dans les pays qui ont une expérience du totalitarisme, on sait que c'est là une des idées les plus dangereuses que des dirigeants politiques puissent avoir. C'est pourquoi, par exemple, l'article 16 de la constitution de l'Allemagne interdit de retirer leur citoyenneté à des Allemands. L'histoire de notre pays permet à nos politiciens d'être béatement ignorants de certains problèmes. Heureusement, ils se trompent et les choses ne se passeront pas comme ils semblent le croire.

J'imagine très mal qu'une négociation entre deux gouvernements sur un protocole de séparation puisse retirer leur citoyenneté à plusieurs millions de personnes sans déclencher tout un chambard politique et judiciaire. Je tiens beaucoup à ma citoyenneté canadienne, c'est une des plus commodes et des plus jolies dans le monde d'aujourd'hui. Et je sais qu'il y a des gens pour qui elle a beaucoup plus de valeur que pour moi, à cause des efforts qu'ils ont dû faire pour l'obtenir et de la chance parfois inespérée qu'elle a représentée pour eux. Pour nous retirer notre citoyenneté canadienne, ça sera du boulot. Je me demande quel type d'acte législatif ou constitutionnel il faudrait commettre pour aboutir à un tel résultat qui soit valide en droit canadien.

Par conséquent, il est probable que tous les

habitants du Québec qui sont citoyens canadiens le resteront, et que tous seront faits citoyens québécois par la loi du nouvel État. Personne n'aura à demander à rester canadien. En revanche, certains demanderont à être dispensés de la citoyenneté québécoise. Pourquoi le feront-ils ?

Certains agiront par conviction, ils trouveront détestable ou humiliant d'être citoyens québécois pour des raisons aussi profondes et aussi incommunicables que celles des indépendantistes qui préféreraient aujourd'hui ne pas être citoyens canadiens. Les autres le feront pour des raisons de sécurité. Quand on a une double citoyenneté, la protection de chacun des deux États s'arrête à la frontière de l'autre. Les Québécois-Canadiens de l'avenir auront tous les avantages de la citoyenneté canadienne au Canada et partout dans le monde, sauf au Québec. Ceux d'entre eux qui se méfieront, à tort ou à raison, de l'État québécois feront très attention à ne faire aucun des gestes qu'implique la citoyenneté, inscription sur les listes électorales, demande de passeport, afin de pouvoir continuer à bénéficier, même au Québec, de la protection de l'État canadien.

Si ceux qui agissent ainsi sont peu nombreux, ils ne poseront pas plus de problèmes que, par exemple, les citoyens américains qui vivent déjà au Canada. Mais, si les conflits de la période de transition ont pour conséquence d'inciter des blocs entiers de la population du Québec à en refuser la citoyenneté et à le faire ostensiblement, le résultat sera très grave. Le gouvernement ou même des groupes nationalistes bien intentionnés risquent de vouloir faire pression sur les récalcitrants pour les inciter soit à exercer effectivement la citoyenneté québécoise à laquelle ils ont droit, soit à s'en aller. C'est comme cela que deviendront nombreux parmi nous les agents provocateurs et les boucs émissaires.

Cela aura des conséquences très sérieuses. La première sera d'empoisonner les relations entre les deux États voisins. Ils auront des surprises ceux qui pensent que l'indépendance signifiera la fin des disputes entre Québec et Ottawa.

La seconde, beaucoup plus grave, sera de créer dans la population du Québec deux catégories identifiables à leur statut juridique. Une des chances de notre société, par rapport à celle de l'Irlande du Nord par exemple, est que les frontières des groupes identitaires sont chez nous, sauf dans le cas des Amérindiens, très floues et poreuses. Les frontières de langue sont toujours assez faciles à franchir. Les frontières de religion sont plus solides, surtout là où elles rendent difficiles les mariages interconfessionnels. Les pires frontières sociales sont celles qui correspondent à des différences de statut juridique. Aujourd'hui au Québec, les barrières sociales entre anglophones et francophones ou entre protestants et catholiques n'ont pas disparu, mais elles sont des passoires. Les disputes sur la citoyenneté que risque de mettre en branle l'indépendance auront pour conséquence de créer entre nous des différences de statut juridique, qui durciront les barrières entre groupes identitaires.

Il y a certainement des difficultés de l'accession à l'indépendance que je suis incapable de voir et d'autres que je mesure mal. Mais il me semble qu'il y a un minimum dont nous pouvons être sûrs. Premièrement : les politiciens indépendantistes savent que les choses seront plus difficiles qu'ils ne le disent ; c'est une règle générale qui s'applique à tous les politiciens et à toutes les difficultés. Deuxièmement : les choses seront plus difficiles qu'ils ne le croient ; c'est le propre de la réalité sociale de réserver des surprises. Troisièmement : ce ne sont pas les difficultés économiques et financières qui seront les plus graves, mais celles qui résulteront des problèmes de continuité légale et de citoyenneté, parce qu'il est dans la nature des choses que la division d'un État pose ces problèmes.

Ils sont déjà soulevés par certains Amérindiens, qui annoncent leur intention de contester la validité légale de l'indépendance et de refuser de devenir citoyens du nouvel État. Ce serait une erreur tragique de croire qu'il s'agit seulement d'un petit groupe de mauvais coucheurs qu'on arrivera à faire taire. J'ai voulu montrer qu'il est inévitable que ces problèmes se posent et que ce ne sont pas seulement quelques Amérindiens qui en feront toute une histoire quand sera venu le moment de passer aux actes.

Les mésaventures de l'autodétermination

Si l'indépendance du Québec a lieu, il est probable qu'elle nous mettra dans une situation politique passablement morose ou franchement inquiétante. Certains se mettront alors à la recherche de ceux dont la malveillance aura rendu inévitable un résultat aussi décevant, ce qui ne pourra qu'envenimer les choses. Ce n'est évidemment pas de cette façon qu'il faut réfléchir pour comprendre les difficultés que comportent les processus d'autodétermination. Celles-ci ne sont pas produites par les intentions des personnes, mais par la structure des situations.

Les principes de la démocratie permettent aux citoyens d'un État de voter pour désigner ceux qui les gouvernent et d'exercer ainsi une influence, au moins indirecte, sur les lois selon lesquelles ils vivent et sur les décisions d'intérêt public. Il peut sembler logique d'en déduire que, selon les mêmes principes, un peuple devrait pouvoir choisir l'État dans le cadre duquel il est gouverné et le tracé des frontières qui le séparent de ses voisins. Ce n'est pas si simple.

La loi de la majorité

Il y a de multiples conceptions de la démocratie, que je n'ai pas l'intention d'essayer de démêler ici. J'utilise ce mot pour désigner un régime politique où sont à peu près respectés deux principes : l'égalité des citoyens et la souveraineté populaire. L'égalité des citoyens a pour conséquence que la loi doit être la même pour tous. La souveraineté populaire impose que les principaux gouvernants soient élus par les gouvernés ou nommés par des gens qui ont eux-mêmes été élus par eux. Des régimes politiques à peu près conformes à ces deux principes n'ont existé qu'au XXᵉ siècle. Il y a eu des régimes politiques qui se sont déclarés démocratiques au XIXᵉ siècle, en France et aux États-Unis notamment ; mais ils ne l'étaient pas effectivement, puisqu'ils n'appliquaient pas le suffrage universel, conséquence de ces deux principes.

Dans plusieurs pays, le Royaume-Uni et le Canada mais aussi les Pays-Bas, le Danemark et quelques autres, le régime politique a été capable d'assurer la paix civile tout en garantissant aux individus une bonne mesure de liberté, longtemps avant de commencer à invoquer les principes de la démocratie et à les mettre en pratique. Mais ces régimes étaient déjà fondés sur le principe du gouvernement par la loi, appelé aussi « État de droit ». Ce principe impose aux gouvernants d'agir non par des décisions arbitraires ou secrètes mais par des règles générales connues à l'avance par ceux à qui on les applique. Il leur impose surtout de respecter eux-mêmes les règles qu'ils font et celles qui fixent les limites de leur pouvoir.

Il n'y a donc pas, à l'origine, de rapport de nécessité entre la démocratie et la paix civile. Mais, au XXe siècle, le lien entre elles est devenu très fort parce que l'évolution des croyances et des valeurs a fait de la démocratie une condition nécessaire de la légitimité des régimes politiques. En 1850, les Canadiens ou les Danois pouvaient accepter la légitimité d'un gouvernement qui n'était pas démocratique mais leur assurait des conditions raisonnables de sécurité et de liberté. Aujourd'hui ils ne l'accepteraient plus. En conséquence, un hypothétique État de droit non démocratique serait privé de l'autorité morale nécessaire pour maintenir avec succès la paix civile.

Il est donc probable que le secret de la paix civile ne réside pas dans la démocratie, mais dans le gouvernement par la loi. Là où on a voulu démocratiser des États de droit déjà stables, on a obtenu les démocraties stables qui existent aujourd'hui. Là où on a voulu établir des démocraties absolues, ne respectant en rien les règles de l'État de droit, on a produit des gouvernements instables et violents, tels que ceux dirigés par Robespierre ou Lénine. C'est dans ces démocraties absolues que la volonté de la majorité était invoquée à tout propos, pour justifier n'importe quoi en dehors de toute règle.

C'est une illusion de croire que la loi de la majorité est un principe naturellement évident. C'est une règle arbitraire et simpliste, qui ne devient pratique et sage qu'à certaines conditions. Nous refusons de l'appliquer à un grand nombre de questions et nous l'acceptons comme loi seulement dans les cas où existe une convention qui en fait une procédure de décision acceptable.

Je désire faire ici une deuxième pause méthodologique. En écrivant ce texte, je me suis donné pour règle de ne pas en faire un exercice d'érudition, de ne jamais me cacher derrière l'autorité de quelqu'un d'autre, de toujours donner mes raisons sous une forme facile à comprendre. J'ai déjà fait plus haut une exception à cette règle pour référer à un article de Max Weber et j'en fais une deuxième maintenant.

Cette idée que la loi de la majorité n'est pas une règle absolue et n'est valide qu'à certaines conditions et pour certaines décisions, il se trouvera des indépendantistes pour croire que je viens de l'inventer à seule fin de les embêter. C'est, bien sûr, une idée ancienne. Déjà présente au XVIIIe siècle dans l'œuvre de Condorcet, elle a connu depuis des développements nombreux et importants. Je recommande sur ce point le livre à la fois savant et clair de Pierre Favre, *La Décision de majorité* (Paris, Presses de la Fondation nationale des sciences politiques, 1976). Mais je ne cherche à m'abriter derrière l'autorité de personne. J'exposerai moi-même dans les pages qui suivent les raisons pour lesquelles la loi de la majorité doit être tenue pour une règle conditionnelle, qui cesse d'être acceptable dans certaines situations et pour décider certaines choses. Fin de la pause méthodologique.

Dans la plupart des démocraties, certaines questions sont placées hors d'atteinte des décisions à la majorité. C'est le cas des droits fondamentaux que les individus peuvent, devant un tribunal, opposer avec succès aux lois votées à la majorité par un parlement élu. Et c'est le cas des règles constitutionnelles qui définissent les procédures à suivre pour que les décisions majoritaires soient valides.

Les nationalistes québécois devraient le savoir, puisqu'ils ont toujours soutenu qu'une majorité au Canada n'a pas le droit de décider certaines choses contre l'opposition de telle ou telle minorité. Ils avaient raison sur ce point. Ils ont par conséquent tort quand ils prétendent qu'une majorité de Québécois a, en principe, toujours le droit d'imposer sa volonté à une minorité de Québécois, quelle que soit la décision en question et même si celle-ci représente une modification fondamentale du cadre institutionnel dans lequel nous vivons.

Curieusement, l'article 356 du *Code civil* du Québec requiert une majorité des deux tiers des membres votants d'une association de droit privé pour dissoudre celle-ci. Ce détail place les dirigeants indépendantistes dans une situation paradoxale : ils devraient nous expliquer pourquoi, quand il s'agit de dissoudre une association de pêcheurs à la ligne, certaines précautions doivent être prises contre le risque d'abus de pouvoir par la majorité, et pourquoi ces précautions deviennent inutiles quand il s'agit de diviser un État.

Ce point n'est pas un argument juridique. Ce n'est pas dans le *Code civil* qu'il faut chercher les règles applicables à une séparation d'États. Et je ne pense pas qu'une majorité qualifiée, des deux tiers ou des trois quarts, soit la solution au problème dont je discute présentement. Pour qu'elle le soit, il aurait fallu l'inscrire dans une règle adoptée à l'avance, sans savoir qui en demandera un jour l'application contre qui. Dans la situation où nous sommes, celle d'avoir à tenir bientôt un référendum d'autodétermination, les discussions sur une majorité qualifiée n'ont aucune chance d'aboutir. Nous avons donc à prendre une décision en l'absence de règles claires et explicites de prise de décision. Les dirigeants indépendantistes nous disent que, dans une démocratie, *il va de soi* que c'est la règle de la majorité simple qui s'applique. L'article 356 du *Code civil* me permet d'affirmer avec beaucoup d'assurance que cela ne va pas de soi.

Dans une démocratie idéale, les citoyens adopteraient d'abord à l'unanimité les règles définissant les droits fondamentaux et les procédures constitutionnelles. En respectant ces dernières, les autres décisions seraient ensuite prises à la majorité. On obtiendrait ainsi un très haut niveau de légitimité de toutes les décisions, qui seraient prises soit à l'unanimité, soit en appliquant une procédure acceptée à l'unanimité. Mais la règle de l'unanimité n'est pas praticable dans des groupes nombreux. C'est pourquoi, dans plusieurs pays démocratiques, le Canada, les États-Unis, l'Allemagne et d'autres, il faut, pour modifier les règles constitutionnelles, utiliser des procédures qui sont des compromis entre majorité et unanimité. Elles sont plus exigeantes que la simple règle de la majorité et moins difficiles à atteindre que l'unanimité.

Les règles qui définissent la citoyenneté devraient être traitées de la même façon. Dans une démocratie idéale, chaque citoyen adhérerait à la communauté politique par une décision individuelle. On lui ferait signer les règles qui fixent les droits fondamentaux et les procédures constitutionnelles, et il vivrait ensuite heureux dans le paradis de Jean-Jacques Rousseau. Nous savons que ce *contrat social* est une fiction. Nous sommes presque tous devenus citoyens par la moins libre de nos actions, notre propre naissance. Puisqu'il est rarement possible d'en décider librement, il est sage de laisser un arbitre aveugle, le hasard et la nécessité, le passé historique et les naissances, décider qui sont nos concitoyens.

Si on veut le faire par un vote à la majorité, on rencontre très vite deux difficultés redoutables : pour être une procédure de décision acceptable, un vote doit prendre place dans une continuité comportant d'autres votes sur la même question ou sur des questions d'importance comparable ; et il doit y avoir consensus sur l'ensemble des personnes qui ont le droit de vote.

Un vote doit se situer dans une continuité

Beaucoup d'idées simples relatives à la démocratie ne sont claires qu'en apparence. Elles correspondent à la réalité d'une manière tellement approximative qu'il vaudrait peut-être mieux les tenir pour fausses. C'est le cas de l'idée que des élections permettent à une population d'exprimer sa *volonté*, ou de *choisir* entre plusieurs avenirs possibles.

Regardons ce qui se passe en fait quand un parti, jusque-là majoritaire dans un système où il y a **deux** partis principaux, perd une élection et qu'un gouvernement est remplacé par un autre. Doit-on en déduire que la population a changé d'opinion ou a choisi d'être gouvernée d'une façon différente ? Deux objections peuvent être faites à cette façon de parler. La première est que la plupart des électeurs ont voté cette fois-ci pour le même parti qu'à l'élection précédente ; c'est seulement une minorité d'entre eux qui a choisi de voter différemment. La seconde est que, dans les démocraties les plus anciennes et les plus stables, les façons d'agir du nouveau gouvernement ressemblent toujours beaucoup à celles du précédent.

Un parti capable de gagner une élection au suffrage universel ne peut pas avoir une idéologie originale et complexe, ce qui l'aurait condamné à rester un groupuscule. Il est nécessairement une coalition de personnes et de groupes qui ont certains objectifs communs et aussi des différences entre eux. Certains membres et certains électeurs d'un parti sont des radicaux, qui adhèrent fortement à ce qui fait sa spécificité idéologique et sont très éloignés des radicaux de l'autre parti ; et certains sont des modérés, dont les opinions sont proches de celles des modérés de l'autre parti. Pour gagner une élection, un parti a intérêt à choisir des dirigeants et un programme capables de convaincre non pas ses propres radicaux mais les modérés du parti adverse. Celui-ci a, de son côté, intérêt à en faire autant. En conséquence, on observe normalement dans un régime démocratique une ressemblance entre les dirigeants des principaux partis et une convergence entre leurs programmes.

La prépondérance des modérés sur les radicaux, qui résulte du mécanisme que je viens de décrire, est le secret le plus mal gardé des régimes démocratiques. Elle oblige les radicaux soit à renoncer à toute influence politique, soit à se résigner à appuyer ceux des modérés qui leur semblent les moins détestables. Elle empêche les changements brusques de politique, puisqu'un gouvernement renversé est normalement remplacé par un gouvernement qui lui ressemble. À long terme, les élections produisent des ajustements successifs, qui empêchent les gouvernants de s'écarter trop des opinions moyennes de la population. C'est seulement en ce sens que les procédures démocratiques permettent à un peuple de *choisir* la manière dont il est gouverné.

On ne doit pas déduire de ce qui précède que, du point de vue de la justice, les modérés ont toujours raison et les radicaux toujours tort. Au début du XIXe siècle, par exemple, le vote des femmes ou l'école obligatoire pour tous les enfants étaient des propositions radicales, défendues par de petits groupes qui passaient pour de dangereux utopistes. Nous pensons aujourd'hui que ces derniers avaient raison. Mais pour que leurs propositions deviennent des lois, il a fallu qu'elles soient acceptées par au moins une partie des modérés. C'est là l'une des contraintes qui résultent du fonctionnement des institutions démocratiques : le rôle de ceux qui ont des opinions radicales, novatrices et minoritaires n'est pas de gouverner, mais de chercher à convaincre les majorités modérées et prudentes.

Tout cela a le don d'exaspérer les radicaux. Parce que leurs opinions sont tranchées, ils trouvent indigne que leur influence sur les décisions soit plus faible que celle des modérés, indécis et toujours prêts à changer d'avis. À chaque élection ils réclament à cor et à cri qu'on offre au peuple « un choix clair ». Si on les écoutait, il en résulterait évidemment une

paralysie complète du système politique. On propo-
serait tous les cinq ans aux électeurs de *choisir entre
des options claires*: par exemple, entre d'une part la
privatisation de toute l'économie, y compris les routes
et les égouts, et d'autre part l'abolition complète de
la propriété privée; ou entre d'une part l'application
de la peine de mort à tous les crimes et d'autre part
l'abolition du code pénal pour le remplacer par des
mesures de prévention. L'alternance au gouvernement de partis ayant des programmes aussi radica-
lement opposés rendrait la vie en société très exci-
tante pour quelques-uns et infernale pour tous les
autres.

C'est pourquoi les idéologues radicaux, assez
logiquement, placent parfois leur programme en
dehors de la possibilité d'alternance. Ainsi, certains
indépendantistes québécois sont persuadés qu'après
l'indépendance les fédéralistes disparaîtront et le
débat politique aura lieu entre des partis qui accepteront tous le nouveau *statu quo* institutionnel; ce qu'il
faut supposer pour faire semblant de croire que
l'indépendance est le moyen «d'en finir» avec un
débat politique fatigant.

Entre modérés les choses sont moins difficiles.
Une mesure décidée par un gouvernement est
critiquée par l'opposition, mais la légitimité de sa
mise en œuvre est cependant acceptée par celle-ci,
pour deux raisons. Les opposants savent bien que,
s'ils étaient au pouvoir, leur décision serait peu
différente de celle qu'ils sont en train de critiquer. Et
ils sont sûrs qu'il y aura d'autres élections, qu'ils
pourront devenir majoritaires et qu'ils auront la
possibilité d'annuler, s'ils le veulent, ce qui vient

d'être fait. Il peut donc être avantageux de déchirer ses vêtements en public pour impressionner les électeurs, mais il ne vaut pas la peine de monter sur les barricades ou de prendre le maquis. Un nouveau gouvernement renverse parfois les mesures prises par son prédécesseur. Mais très souvent il s'en accommode en silence, parce que la population s'y est habituée ou parce qu'elles n'ont pas eu les effets catastrophiques annoncés quand elles ont été adoptées.

C'est pour les décisions qui se situent dans une telle continuité que la règle de la majorité est un principe acceptable ; ce qui suppose qu'on ne doit jamais voter *une fois pour toutes*. Nous acceptons la légitimité d'une décision prise par un vote que nous avons perdu, parce que nous savons qu'il y aura d'autres votes que parfois nous pourrons gagner. L'obligation pour la minorité de se soumettre à la loi de la majorité implique une contrepartie : les membres de la majorité doivent accepter que l'on puisse voter de nouveau sur les mêmes sujets.

Si j'accepte la légitimité démocratique de lois qui ont été adoptées longtemps avant ma naissance, ce n'est pas parce que je me crois l'héritier de la liberté de mes grands-parents ou de leurs droits de citoyens. C'est parce que je suis électeur dans un système politique qui peut modifier ces lois. Les citoyens d'une démocratie peuvent se considérer comme libres sous des lois qu'ils n'ont pas faites, ni directement ni par leurs représentants, parce qu'ils savent qu'ils ont le pouvoir de les défaire. Par conséquent, ces lois ne durent que par le consentement tacite de la majorité de ceux à qui elles s'appliquent. Un vote portant sur une décision irréversible, qui ne pourra plus être remise en cause, ne représente pas la plus haute expression de la liberté, mais la fin de celle-ci, au moins dans le domaine touché par cette décision.

C'est pour cela qu'il n'y a pas de différence quant à la citoyenneté entre les Savoyards et les Bretons, entre ceux dont les ancêtres ont pu voter pour devenir citoyens d'un État et ceux dont les ancêtres n'ont jamais eu la possibilité de le faire. Les votes d'autodétermination correspondent en général à des décisions irréversibles ou très difficilement réversibles. Dès qu'ils ont eu lieu, leur résultat devient une contrainte pour ceux qui ont voté. Et, pour leurs descendants, la contrainte est exactement la même que si la décision avait été prise par un dictateur.

C'est aussi pour cela que la légitimité des votes d'autodétermination est si souvent récusée par ceux qui les ont perdus ou savent qu'ils vont les perdre. En mars 1921, un référendum est organisé en Haute-Silésie sous le contrôle de la Société des Nations pour décider si ce pays doit être rattaché à l'Allemagne ou à la Pologne. La population se prononce à 60 % en faveur de l'Allemagne. Les Polonais utilisent immédiatement la force pour imposer un partage du pays qui leur soit favorable. En mars 1973 un référendum d'autodétermination est tenu en Irlande du Nord. Une majorité de 99 % se prononce en faveur du maintien dans le Royaume-Uni. Mais la participation n'est que de 57 % de l'électorat; les catholiques n'ont pas pris part au vote. En mars 1992 a lieu en Bosnie un référendum d'autodétermination qui donne 99 % de votes favorables à l'indépendance.

Mais la participation n'est que de 62%; la plupart des Serbes ont refusé de voter. On connaît la suite.

Si on doit absolument tenir un vote d'auto-détermination, il vaudrait mieux que les perdants en acceptent le résultat comme s'il s'agissait de n'importe quel autre vote. Mais une défaite dans un vote dont le résultat ne pourra plus être remis en cause n'a pas les mêmes conséquences que dans un vote ordinaire. Et il est facile de comprendre pourquoi la soumission des perdants est alors plus difficile à obtenir. La justice n'est pas de les invectiver et de les mettre en demeure de se soumettre. Elle est d'éviter d'avoir à voter sur des questions de ce type.

Quand rien n'oblige à organiser un vote d'auto-détermination, comme en Irlande du Nord en 1973, il vaut mieux s'en abstenir puisque cela ne sert à rien. L'IRA n'était pas une organisation démocratique qu'on aurait pu convaincre de mettre fin à son action en lui démontrant qu'elle était minoritaire. Elle le savait et était bien décidée à imposer sa volonté par la force à la majorité. Par conséquent, voter n'a servi qu'à creuser encore plus le fossé entre les deux communautés nord-irlandaises. Il est très probable qu'en Corse, par exemple, un référendum d'autodé-termination donnerait le même type de résultat qu'en Irlande du Nord: une campagne référendaire accompagnée d'une escalade de violence; une majo-rité en faveur du maintien de la souveraineté fran-çaise sur l'île; et le refus des séparatistes d'accepter le résultat d'un vote «tenu en présence des forces d'occupation».

En Bosnie la situation était bien différente. Il fallait de toute façon prendre une décision sur le statut du pays, puisque la fédération yougoslave venait de disparaître. Toutes les options concevables, indépendance, union avec la Serbie, union avec la Croatie, consentement à la partition, auraient été refusées par certains et très probablement combattues par les armes. L'indépendance était la solution qui divisait le moins les habitants de la Bosnie, même si elle les divisait encore trop pour permettre d'éviter la guerre. En la décidant par référendum, le gouvernement bosniaque lui a donné un peu plus de légitimité, notamment aux yeux de certains gouvernements européens qui avaient demandé qu'un vote soit tenu. Nous savons maintenant que ça n'a guère influencé la suite des événements.

Les seuls votes d'autodétermination qui sont en apparence des réussites sont ceux qui donnent des résultats proches de l'unanimité, comme en Norvège en 1905 (85 % de ceux qui ont le droit de vote se prononcent pour l'indépendance, les autres s'abstiennent) ou en Algérie en 1962 (91 % de ceux qui ont le droit de vote et 99 % des votants sont en faveur de l'indépendance). Le vote a alors complètement cessé de représenter une décision collective pour devenir une cérémonie de légitimation. Dans toutes les situations où un vote d'autodétermination peut donner une majorité aussi forte que celles-là, les dangers principaux que comportent les séparations d'États n'existent plus. Et ce sont peut-être les seuls cas où on devrait oser procéder à une telle séparation.

Un référendum d'autodétermination est donc soit un exercice inutile et plutôt dangereux, comme en Irlande du Nord, soit une cérémonie rituelle, comme en Algérie, soit le seuil du malheur politique, comme en Bosnie. C'est une action terrible de se diviser et de se compter entre concitoyens, en votant non pas sur une décision réversible, ce qui est normal et presque toujours sans danger, mais sur la citoyenneté elle-même. Il est étrange que, dans l'imaginaire de certains Québécois, le référendum d'autodétermination soit devenu une sorte d'apothéose de la démocratie, alors qu'il en est une limite dont il ne faut s'approcher que dans les cas où il est impossible de faire autrement.

On ne doit pas décider par un vote qui a le droit de vote

La deuxième difficulté de l'application d'une procédure majoritaire à une décision d'auto-détermination résulte du fait que, avant de pouvoir voter, il faut être d'accord sur les limites de l'ensemble des personnes qui ont le droit de vote.

Cette difficulté est présente dans la façon dont a été adopté le droit de vote des femmes dans beaucoup de pays ou celui des Noirs en Afrique du Sud. Pour maintenir la continuité légale, il était recommandable que l'extension du droit de vote soit faite par un vote de ceux qui avaient déjà ce droit.

La phrase précédente doit être énoncée très humblement, non pas comme un principe absolu et incontestable, mais comme un conseil de la prudence, comme une recette qu'on applique faute d'avoir trouvé mieux. Car il était très choquant pour les femmes d'avoir eu à attendre qu'une majorité de mâles leur reconnaisse la qualité de citoyennes. Il est très choquant pour les noirs en Afrique du Sud d'avoir eu à attendre le consentement d'une majorité de visages pâles. Même après que ces décisions ont été prises, il reste choquant de savoir qu'elles ont dû l'être de cette façon.

Il n'y avait que deux autres méthodes possibles, la dictature et la guerre civile. C'est notre seule excuse pour accepter que la reconnaissance des droits fondamentaux de certaines personnes puisse dépendre d'un vote tenu dans une collectivité dont elles ne font pas partie.

Les processus d'autodétermination soulèvent des problèmes du même type. On en a eu une illustration en Irlande du Nord lors du référendum de 1973. Les nationalistes irlandais en ont contesté la légitimité en soutenant qu'il n'aurait pas dû être tenu seulement en Irlande du Nord, où les protestants constituent presque les deux tiers de la population, mais dans toute l'Irlande, où quatre habitants sur cinq sont catholiques. Certains journaux irlandais faisaient attention à ne pas utiliser l'expression «la minorité catholique d'Irlande du Nord», mais «la fraction de la majorité nationale qui vit en Irlande du Nord». C'était une position cohérente de la part de nationalistes qui ont toujours contesté la légitimité de la partition et soutenu que celle-ci est la seule véritable source du conflit nord-irlandais.

Leurs adversaires n'avaient aucune raison d'accepter de poser le problème de la même façon. Par provocation, l'éditorialiste d'un journal anglais proposa de tenir le référendum dans l'ensemble des îles britanniques, où les Irlandais catholiques forment sans doute un peu plus de 10 % de la population totale. Si on retient le critère de l'unité géographique naturellement évidente, l'archipel britannique en est une autant que l'Irlande. Si on retient le critère de l'ensemble de ceux pour qui l'avenir de l'Irlande du Nord a des conséquences importantes, les habitants de toute l'Irlande en font certainement partie, mais ceux de la Grande-Bretagne aussi.

Le critère retenu a finalement été celui de la frontière qui existait en fait au moment du référendum, et celui-ci a donc eu lieu seulement en Irlande du Nord. Puisque aux yeux des nationalistes irlandais c'est justement l'illégitimité de cette frontière qui est le cœur du conflit, le résultat du vote n'avait pour eux aucune valeur. Le cadre dans lequel on décida de tenir le référendum en déterminait entièrement le résultat. Ce cadre pouvait être fixé par une autorité supérieure qui impose une décision, ou par une guerre civile, des massacres et des expulsions de populations. Il ne pouvait pas être fixé par un vote. Aurait-il fallu le tenir en Irlande du Nord, dans toute l'Irlande, ou dans toutes les îles britanniques ?

Cette polémique ne représente pas une bizarrerie irlandaise. Elle illustre un problème fondamental qui se pose chaque fois qu'on cherche à appliquer les procédures démocratiques aux problèmes d'autodétermination, c'est-à-dire aux conflits dont l'enjeu est de refaire les frontières des collectivités au sein desquelles s'exerce le droit de vote.

Nous n'échapperons pas à un débat de ce type, qui est d'ailleurs déjà commencé. Certains disent que l'indépendance du Québec ne doit pas être décidée par les Québécois seuls, mais par tous ceux pour qui elle aura des conséquences, c'est-à-dire tous les Canadiens. Jusqu'à présent, les dirigeants nationalistes québécois ont fait semblant de croire qu'il s'agit d'une opinion absurde et sans conséquence. Elle ne l'est ni plus ni moins que celle de vouloir tenir un vote d'autodétermination seulement au Québec.

Ils auront des surprises ceux qui pensent que les précédents permettent de trouver, en droit international, des solutions incontestables à ce problème. Ils découvriront, par exemple, que l'indépendance de l'Algérie a été soumise en 1962 à un référendum en France avant de l'être en Algérie.

Le référendum québécois de 1980 peut être interprété comme un précédent allant dans le même sens. Le gouvernement provincial de l'époque n'a pas demandé à la population le mandat de faire la souveraineté, mais celui de négocier avec le reste du Canada une entente qui permettrait celle-ci. Il n'y avait aucune raison que le gouvernement canadien demande une injonction pour interdire la tenue de ce référendum ou que les ministres fédéraux s'abstiennent de participer à la campagne référendaire. En agissant comme ils l'ont fait, ils n'ont pas, comme certains veulent le faire croire, reconnu implicitement le droit du Québec à la sécession. C'est plutôt le gouvernement provincial québécois qui a, en posant la question comme il l'a fait, reconnu implicitement que la souveraineté ne peut pas être décidée unilatéralement.

C'est pour cette raison qu'est inacceptable l'argument suivant : vous n'avez pas refusé de voter au référendum de 1980 ; vous devez donc vous soumettre à l'avance au résultat de celui de 1995. Le référendum de 1980 n'était pas un vote d'autodétermination. Sa valeur n'était pas décisionnelle mais consultative, comme celle de toutes les autres consultations référendaires qui ont eu lieu au Canada, y compris en 1992. Le processus d'autodétermination proprement dit prévoyait deux autres étapes, une négociation avec le reste du Canada et un référendum de ratification du résultat de cette négociation. Si le référendum qu'on nous annonce pour 1995 est du même type que celui de 1980, une consultation destinée à faire connaître les préférences de la majorité des Québécois afin d'éclairer l'action de leurs gouvernements, personne n'aura de raison d'en contester la légitimité. Mais, s'il est présenté comme un référendum qui décide de la souveraineté, il sera évidemment l'objet de contestations, et celles-ci pourront invoquer des arguments solides.

Après avoir soutenu le droit des Québécois de ne pas être noyés dans une majorité canadienne, les dirigeants nationalistes insisteront sans doute, au nom de l'intégrité des frontières historiques, pour que les Anglo-Québécois et les Amérindiens soient noyés dans la majorité québécoise. D'ailleurs, s'ils se montraient plus conciliants, cela créerait de nouvelles difficultés. Si l'autodétermination ne se décide pas dans le cadre du Québec pris dans son entier mais dans celui de circonscriptions plus petites, il faudra se mettre d'accord sur la taille et les limites de celles-ci. La solution de ce problème, apparemment technique, déterminera entièrement la possibilité pour certaines communautés amérindiennes de s'autodéterminer. Si certaines d'entre elles arrivent à le faire, il y aura sur leur territoire des groupes moins nombreux qui voudront rester québécois. Les dirigeants amérindiens invoqueront alors sans doute des droits historiques pour leur refuser la possibilité de s'autodéterminer à leur tour.

Je veux qu'on me comprenne bien. Je ne suis pas en train de plaider pour l'une ou l'autre de ces thèses mais de montrer que le conflit entre elles ne peut pas être réglé par des méthodes démocratiques et comporte donc le risque de l'être par la violence. La seule solution de ce problème insoluble est d'éviter qu'il se pose. Elle est d'enseigner aux enfants des écoles qu'on choisit rarement ses concitoyens et qu'on a cependant le devoir d'agir en concitoyen envers eux tous, sans jamais chercher à décider, par quelque méthode que ce soit, lesquels on accepte et lesquels on refuse.

Le nationalisme n'est pas universalisable

Pour que la loi de la majorité soit une méthode efficace de gestion pacifique des conflits, il faut que soient remplies, entre autres, deux conditions. Ceux qui ont perdu un vote doivent savoir qu'il y aura d'autres votes sur le même type de question et que leur position pourra parfois obtenir la majorité. Et l'ensemble de ceux qui ont le droit de vote doit être défini d'une façon qui permet le consensus, c'est-à-dire à l'unanimité ou par des données naturelles et historiques que personne ne choisit. Les votes d'autodétermination ont pour objet de faire apparaître une nouvelle frontière, si possible définitive, entre ceux qui auront à l'avenir le droit de vote dans un État donné et ceux qui ne l'auront plus parce qu'ils seront devenus des étrangers. Ils ne peuvent par conséquent pas remplir ces deux conditions. Cela leur donne, sauf dans les cas où ils sont presque unanimes, une légitimité très faible.

Le moyen de sortir de cette difficulté est généralement de proclamer qu'une certaine frontière doit

être modifiée en fonction de la loi de la majorité,
mais que toutes les autres frontières sont naturelles,
évidentes, sacrées, historiques, donc intangibles. Il ne
peut pas en être autrement. Si toutes les frontières
concevables pouvaient être à tout moment soumises
à des votes, comme peuvent l'être les dispositions
législatives ordinaires, plus aucun vote ne pourrait
être tenu puisqu'il serait chaque fois impossible de
savoir qui a le droit de voter.

Nous sommes là, je pense, au cœur de l'explication de la tendance au double jeu moral de presque
tous les nationalismes, dont les discours ont si souvent la structure suivante. « Nous proclamons le droit
de tous les peuples à l'autodétermination. Nous de-
mandons pour nous-mêmes l'application de ce droit
et nous appuyons tous les peuples qui luttent pour
l'obtenir, même ceux qui vivent à l'autre extrémité de
la terre. Oubliez ce groupe de fatigants qui sont nos
voisins. Ils sont indignes de ce droit, ou incapables de
l'exercer. D'ailleurs, ils ne sont pas un peuple. »

Nous avons vu que des Irlandais savent jouer à
ce jeu. Et nous y jouerons, bien sûr, au Canada si la
séparation du Québec devient imminente. Les règles
du jeu sont simples : revendiquer, au nom des grands
principes, un vote d'autodétermination dans le cadre
qui nous convient et refuser tous les autres votes et
tous les autres cadres à l'aide de principes sub-
sidiaires. Ceux-ci sont bien connus parce qu'ils ont
beaucoup servi. Il y a les droits historiques, toujours
les plus utilisés, les arguments sociologiques (ils sont
trop peu nombreux ; leur langue ressemble tellement
à la nôtre), les arguments territoriaux (notre accès à
la mer ; la sécurité de notre capitale ; nos ressources

naturelles essentielles) et les jeux de mots sur
«peuple», «peuples», «nation», «nationalité»,
«minorité», etc.

C'est ainsi que des nationalistes serbes reven-
diquent une partie du territoire de la Bosnie et de la
Croatie, pour la raison que les Serbes y sont majoritaires (ou au moins très nombreux), et ils n'accordent
ni autodétermination ni même autonomie aux Al-
banais, qui constituent 90 % de la population du
Kosovo, en arguant que cette province est le
«berceau historique» de la nation serbe. Des
nationalistes arabes ont longtemps contesté le droit à
l'existence d'Israël en invoquant, entre autres
arguments, celui que les juifs sont une communauté
religieuse, et non pas un peuple ayant droit à un État.
Des nationalistes israéliens soutiennent que les Pales-
tiniens n'ont pas besoin d'un État : ils ne sont pas un
peuple distinct mais des Arabes comme les autres, et
il y a déjà plusieurs États arabes. Dans l'Autriche-
Hongrie de la fin du XIXe siècle, il y avait déjà des
«nations historiques», des «nations» sans adjectif et
des «minorités nationales».

Ce double jeu moral, nous risquons d'en observer
une illustration bénigne le soir du prochain référendum sur l'indépendance. Si les fédéralistes
gagnent, ils iront se coucher en silence. Ils sauront
que ce moment est une déception pour certains de
leurs voisins et de leurs amis, et qu'il ne faut pas en
rajouter. Si les nationalistes gagnent, ils resteront
debout toute la nuit à agiter des drapeaux et à faire
un chahut de tous les diables. Ils seront incapables
de réaliser que ce qui est une fête pour eux est un
deuil pour leurs voisins.

Si des nationalistes se rendent compte de cette différence de comportement, ils y voient peut-être la preuve que leur propre cause est noble et glorieuse, alors que celle de leurs adversaires est plus ou moins honteuse. La véritable raison n'est évidemment pas celle-là. Les nationalistes croient qu'en devenant majoritaires au Québec ils n'auront plus à tenir compte des opinions des fédéralistes québécois, et ils espèrent que l'indépendance leur permettra de ne plus avoir à tenir compte de ce que pensent les autres Canadiens. Pour les fédéralistes, la victoire sera de rester les concitoyens des nationalistes. Ils doivent donc, dans la lutte contre eux, ne rien faire qui rende plus difficile pour les uns et pour les autres de continuer à vivre en concitoyens.

Certaines idéologies et certaines attitudes peuvent être universalisées : ceux qui les adoptent peuvent souhaiter que tous les autres humains les imitent. C'est le cas du libéralisme, du socialisme ou de la démocratie. Dans le cas de cette dernière, la possibilité d'universalisation est très évidente. Pour un État démocratique, avoir des voisins qui le sont aussi a de grands avantages. Cela diminue les risques de guerre (il n'y a jamais eu de guerre opposant deux États démocratiques entre eux). Cela permet des relations plus confiantes et plus coopératives. Un démocrate peut souhaiter que tous les humains vivent en démocratie. Il y a peu de danger que les tristes pépins de la réalité le lui fassent regretter.

Beaucoup de nationalistes souhaitent sincèrement que tous les humains puissent vivre dans des États nationaux indépendants. Mais la réalité finit toujours par les obliger à faire une exception pour ce groupe particulièrement irritant ou mal placé qui ne doit pas être considéré comme une nation afin que toutes les autres nations puissent exister et vivre en paix. Alors qu'un démocrate souhaite normalement avoir des voisins démocrates, un nationaliste finit toujours par souhaiter que ses voisins ne soient pas nationalistes. La démocratie est universalisable, c'est pourquoi elle peut être un des principes permettant aux humains de vivre ensemble dans la paix et la dignité. Le nationalisme ne peut pas être un de ces principes, parce qu'il n'est pas universalisable.

En 1960, les Français les moins nationalistes étaient ceux qui étaient les moins hostiles au nationalisme algérien. Ce sont les moins nationalistes des Israéliens qui peuvent négocier avec des Arabes. Ce sont les moins nationalistes des Arabes qui acceptent le moins difficilement l'existence d'un État national juif. Ce sont les Canadiens les moins nationalistes qui sont les plus conciliants envers les nationalistes québécois. Et ces derniers tiennent beaucoup à rappeler que le Canada n'est pas une nation. Certains concéderont qu'il pourra le devenir si le Québec s'en sépare. Le nationalisme des autres est acceptable si ceux-ci ont la même définition que nous des nations. Ce qui n'est pas acceptable, c'est d'être québécois et de se croire membre d'une nation canadienne, c'est l'attitude ridicule de ces gens qui habitent Montréal et n'ont pas encore compris que leur destin naturel n'est pas d'aimer les montagnes Rocheuses mais l'île d'Orléans.

À partir de ce constat navrant, que doit-on faire ? Il faut, je crois, répéter sans cesse que, dans les sociétés politiquement civilisées, la valeur suprême ne doit pas être la nation, mais la citoyenneté : nul n'a le droit de refuser une partie de ses concitoyens ; et même une majorité n'a pas le droit d'imposer à une minorité une citoyenneté dont celle-ci ne veut pas. Par conséquent, les frontières doivent rester telles qu'elles sont. Certaines ont été tracées selon des méthodes très contestables, d'autres sont malcommodes. Leur intangibilité ne résulte pas de la croyance qu'elles sont justes. Elle est une règle purement pragmatique, rendue nécessaire par l'absence d'une procédure permettant de changer les frontières sans soulever des antinomies qui conduisent au double jeu moral, à la revendication par certains de droits qu'ils refusent à d'autres, à la paralysie des mécanismes de décision démocratique et à des risques graves de violence.

Le droit de modifier les frontières devrait être réservé à ceux qui ont une raison majeure de le faire : ceux qui, comme les Algériens de 1954, vivent dans un État qui leur refuse une véritable citoyenneté ; et ceux qui, comme les Lituaniens de 1989, vivent dans un État qui menace gravement leur sécurité. Ce droit peut aussi être exercé sans inconvénient sérieux par ceux qui, comme les Norvégiens de 1905, sont capables d'en décider à l'unanimité ou presque.

Les deux premières conditions, inégalité juridique et insécurité, sont absentes dans le cas du Québec. La troisième, un vote d'autodétermination qui donnerait un résultat presque unanime, est hors de question. En conséquence, si le Québec se sépare du Canada à la suite d'un simple référendum avec une majorité de 52 %, ce sera un événement unique et sans précédent, et non l'application normale d'une règle pouvant être déduite des principes de la démocratie et de ceux du droit international, comme voudraient le faire croire les dirigeants indépendantistes.

Certaines décisions qui sont incontestables quand elles sont prises à l'unanimité, ou presque, cessent de l'être quand elles sont prises par une simple majorité. S'il y a un jour une courte majorité indépendantiste au Québec, ce qui est possible sans être très probable, cette majorité aura l'obligation de ne pas utiliser son pouvoir pour transformer fondamentalement le cadre politique dans lequel nous vivons. Cette obligation d'une éventuelle majorité, ce n'est pas envers le gouvernement fédéral ou les Canadiens des autres provinces qu'elle existera, mais envers la minorité, pas seulement envers les Québécois anglophones ou autochtones, mais envers *tous* les Québécois hostiles à l'indépendance.

C'est pour cela qu'est inacceptable l'argument selon lequel le gouvernement canadien, en imposant en 1982 une réforme constitutionnelle contre la volonté du gouvernement québécois, a créé le précédent qui donne à ce dernier le droit de décider la souveraineté avec l'appui d'une majorité simple de Québécois et contre la volonté d'une minorité d'entre eux. En raisonnant ainsi, on confond les obligations que les gouvernements ont les uns envers les autres, et celles, beaucoup plus fondamentales, qu'ils ont envers ceux qu'ils gouvernent. Même si on pense que les droits de certains d'entre nous ont été violés par la façon dont a été faite la réforme constitutionnelle de 1982, cela ne donne à personne le droit de violer une deuxième fois ces mêmes droits, en imposant un nouveau changement constitutionnel encore plus important.

C'est d'abord pour cette raison-là que l'entreprise indépendantiste est dangereuse. S'il était possible d'en décider presque à l'unanimité des Québécois, nous aurions encore l'obligation de tenir compte des droits et des intérêts des autres Canadiens, et je continuerais à penser que la séparation est une idée légèrement tartignole : beaucoup d'efforts et de complications en vue d'avantages futiles ou illusoires. Mais la plupart de mes objections n'auraient plus de raison d'être faites.

Les risques de violence

Je n'écris pas pour sonner le tocsin ou pour annoncer que nous sommes au bord de la guerre civile. Mais je crois dangereuse la belle assurance de ceux qui font semblant de croire que la séparation du Québec sera une formalité sans inconvénient sérieux pour personne. J'ai montré pourquoi ce type de problème est de ceux qu'on ne sait pas régler démocratiquement et qui, par conséquent, se règlent le plus souvent dans la violence. Certains nationalistes nous menacent régulièrement de voir s'établir à Montréal une situation linguistique ressemblant à celle de La Nouvelle-Orléans. C'est évidemment là une perspective beaucoup moins probable que celle de voir s'établir à Montréal une situation de violence politique ressemblant à celle qu'a connue Belfast entre 1970 et 1994.

Face à sa propre violence, notre société est passablement incohérente. D'une part, je lis régulièrement des articles qui nous disent qu'il y a de plus en plus de violence à la télévision, d'armes dans les écoles et de femmes battues, que la montée de la violence est irrésistible et que c'est affreux. D'autre part, des hommes politiques prennent leur air d'oncle rassurant pour venir nous dire que « nos traditions » rendent tout à fait impossible la violence entre nous.

Personne ne peut donner cette garantie. Des minorités actives violentes, que les journaux appellent assez improprement des « groupes terroristes », peuvent apparaître dans presque n'importe quelle société et prendre pour prétexte presque n'importe quelle cause. En 1975 et 1977 aux Pays-Bas, des hommes armés ont pris en otages les passagers de deux trains et tué certains d'entre eux pour forcer le gouvernement néerlandais à obtenir du gouvernement indonésien l'indépendance des îles Moluques du Sud. À la même époque sévissait en Allemagne un groupuscule qui assassinait des hommes politiques pour persuader les ouvriers ouest-allemands qu'ils n'atteindraient le bonheur que lorsqu'ils seraient gouvernés de la même façon qu'en Allemagne de l'Est. Si ces histoires n'étaient pas vraies, personne ne serait capable de les inventer. Elles montrent qu'aucune société n'est entièrement à l'abri de phénomènes de ce type, qui peuvent apparaître et disparaître de manière très largement imprévisible.

L'apparition de minorités actives violentes est plus probable dans les sociétés où le niveau d'anomie est élevé. Notion sociologique classique, l'anomie est l'état de ceux qui vivent en situation de solitude et d'incertitude individuelles, qui ne savent plus quelle est leur place dans la société et quelles sont les règles convenables pour conduire leur vie. Les indicateurs principaux en sont le décrochage scolaire, le chômage chronique, le suicide, l'apparition de nouvelles sectes religieuses. Nous devrions peut-être nous inquiéter sérieusement de la montée puissante et régulière d'anomie à laquelle nous assistons dans notre pays; le décrochage scolaire ne menace pas seulement la compétitivité de notre économie.

Certaines minorités violentes sont éphémères, se dispersent rapidement ou sont mises hors d'état de nuire par l'action policière. D'autres sont plus coriaces et deviennent des problèmes politiques de longue durée. La variable déterminante pour expliquer cette différence est la façon dont le reste de la population réagit envers elles. Les minorités violentes à argumentation idéologique qui ont existé il y a 20 ans en Allemagne et en Italie ont disparu en quelques années. Une minorité violente à argumentation identitaire, comme l'IRA en Irlande du Nord, parvient à avoir un certain soutien dans la population, ce qui rend plus difficile son élimination complète.

Cette différence vient de ce que la solidarité communautaire est un phénomène très largement indépendant du jugement rationnel. Dans un conflit idéologique, on n'accepte d'aider que les groupes dont on approuve, au moins en partie, les méthodes et les objectifs. Dans un conflit identitaire, il arrive souvent qu'on continue à aider des gens dont on condamne les méthodes et dont on désapprouve les objectifs. C'est le célèbre: « *right or wrong, my country*», qui ne vaut pas seulement pour les pays, mais pour toutes les communautés identitaires.

Une minorité active violente voit augmenter ses chances d'obtenir cette solidarité sans approbation, dont elle a besoin pour durer, quand certains politiciens, professeurs ou éditorialistes se mettent à tenir des discours comme celui-ci : « Nous désapprouvons leurs méthodes, mais la cause qu'ils défendent est juste et leur dévouement personnel est tellement émouvant. La faute est celle de la société, qui a poussé les meilleurs de ses enfants à de telles extrémités. » Des discours de ce type étaient fréquents en Allemagne et en Italie il y a 20 ans. C'est seulement quand ils ont disparu que les groupes violents ont pu être éliminés. Des discours du même type ont été parfois tenus au Québec, rétrospectivement surtout, à propos des auteurs des enlèvements d'octobre 1970.

Ces discours ont pour une minorité violente un effet important d'encouragement. Ils confirment la justesse de la cause qu'elle prétend défendre. Les réserves portant sur les méthodes sont comprises d'une façon qui ne correspond pas aux intentions de ceux qui les font. La minorité violente y voit une preuve du caractère exceptionnel de sa mission : l'héroïsme et la transgression des règles communes ne peuvent pas être le fait du grand nombre ; ils sont la marque d'une élite, pure, exemplaire, et sacrificielle. On trouve ainsi dans la littérature irlandaise l'évocation du drame du militant de l'IRA qui lutte pour la libération des catholiques mais à qui le clergé, condamnant la violence, refuse les sacrements. Risquer de perdre son âme pour le salut de son peuple, quoi de plus romantique ?

Il est impossible de déterminer la probabilité que des phénomènes de ce type apparaissent chez nous. Mais ils ne sont évidemment pas impossibles. Et les « traditions » n'y sont pas pour grand-chose. Croire que ce sont des traditions qui nous protègent contre la violence est du même ordre que penser qu'il existe en Bosnie un besoin héréditaire de s'entretuer, affirmation qui a provoqué récemment un petit scandale, justifié, dans les journaux du Québec. Nous n'appartenons pas à une espèce différente de celle des Bosniaques ou des Irlandais. Nous sommes leurs semblables et leur malheur pourrait être le nôtre. D'ailleurs, quand certains d'entre eux viennent vivre parmi nous, ils deviennent immédiatement aussi pacifiques que les autres Canadiens.

Il ne faut pas non plus commettre l'erreur de croire que nos conflits politiques ne peuvent pas devenir violents parce que leurs enjeux sont limités. Nous avons vu au chapitre 2 que les raisons pour lesquelles ont été faites la plupart des indépendances du XXᵉ siècle, sauf celles de la Norvège et de la Slovaquie, étaient bien plus graves que celles qu'invoquent nos indépendantistes. Et il est tentant de penser que ce sont les conflits dont les enjeux sont les plus importants qui comportent le plus grand risque de violence. Donc, la relative futilité de notre lutte pour l'indépendance nous protégerait contre la violence.

Cette idée apparemment raisonnable est très souvent fausse. Qui se souvient encore des raisons pour lesquelles une guerre a éclaté en Europe en 1914? Qui aurait pu prévoir que les disputes entre les Serbes et les autres citoyens de la Yougoslavie, qui caractérisaient la vie politique de ce pays en 1985, déboucheraient sur une guerre en 1991? La violence n'est pas toujours produite par les conflits les plus graves, ceux qui ont pour enjeu la vie ou la liberté des humains. Elle l'est souvent par les conflits les plus confus, ceux dont il est le plus difficile de savoir pourquoi ils ont commencé et pourquoi ils s'éternisent. Le refus de la complexité qui s'exprime dans le slogan « il faut en finir » est un des signes annonciateurs classiques de la violence politique.

Si le Canada a bénéficié jusqu'à présent de l'une des plus longues histoires de paix civile de toutes les sociétés humaines, nous ne le devons pas à nos vertus morales ou à nos caractères culturels, mais aux circonstances et surtout à des institutions. L'efficacité de celles-ci pour nous protéger contre la violence est due d'abord à deux principes : la priorité de l'État de droit sur la règle de la majorité, et l'égalité de droits entre nous. Or ce sont justement ces institutions que la séparation transformerait profondément.

En affirmant qu'un vote d'une majorité de Québécois suffit pour décider l'indépendance, on inverse imprudemment l'ordre de priorité entre État de droit et volonté majoritaire. Si une majorité canadienne décidait l'abolition du niveau provincial de gouvernement pour faire du Canada un État unitaire, beaucoup de Québécois y verraient, à juste titre, un coup d'État, la rupture d'un contrat dont il n'était nulle part convenu qu'il pouvait être modifié par une décision prise à la majorité. Et les plus nationalistes d'entre nous seraient ceux qui protesteraient le plus fort. Si une majorité québécoise décide l'abolition au Québec du niveau fédéral de gouvernement, ce sera, exactement de la même façon, un coup d'État, inacceptable pour ceux d'entre nous qui veulent rester canadiens.

Ceux qui sont incapables de voir la similitude entre ces deux situations hypothétiques n'ont pas compris ce que signifie le principe de l'égalité de droits entre les humains. Une des applications de ce principe pourrait s'énoncer comme ceci: s'il existe des choses que ceux qui sont plus nombreux que nous n'ont pas le droit de nous imposer, nous n'avons pas non plus le droit de les imposer à ceux qui sont moins nombreux que nous.

Donc, j'ai bien peur que certains dirigeants indépendantistes n'aient pas du tout compris d'où peut venir la violence et quelles sont les règles qui, dans notre société, nous protègent contre elle. Quand ce sont eux qui nous garantissent que leurs entreprises ne comportent aucun danger de violence, je m'inquiète un peu.

Les communautés en démocratie

L'idée qu'à un État doit correspondre une nation est née en Europe et reflète assez bien la situation de quelques États d'Europe occidentale. Les frontières de ceux-ci ont été tracées bien avant l'émergence du nationalisme, sans souci de l'homogénéité culturelle des populations ni de leurs aspirations. La cohésion nationale de ces États résulte entièrement de leur ancienneté et parfois des politiques autoritaires d'homogénéisation linguistique qui ont été pratiquées à l'intérieur de leurs frontières, comme dans le cas de la France. C'est seulement par accident historique qu'ils ont l'air de correspondre à peu près au principe des nationalités.

Presque partout ailleurs, ce principe n'est ni une description de la réalité politique, même approximative, ni un idéal qui pourrait être atteint sans catastrophe. Imaginons combien de décennies ou de siècles de guerres et de nettoyages ethniques seraient

nécessaires pour que l'Afrique, l'Asie du Sud, le
Moyen-Orient soient organisés en États qui puissent
prétendre être des «nations» au sens où l'entendent
ceux pour qui le Québec est une nation et le Canada
n'en est pas une. Il n'est donc pas vrai que l'état normal de l'humanité soit d'être organisée politiquement
en nations. À cet égard, la situation présente des
Québécois n'est ni exceptionnelle ni anormale.

Le Canada est un des pays du monde où il est
le moins difficile d'imaginer qu'une séparation d'États
pourrait être faite pacifiquement. Le risque de violence n'y est pourtant pas nul. Notre pays est aussi
un de ceux où il devrait être facile d'imaginer et de
mettre en œuvre une méthode de cohabitation entre
nationalismes ou entre nations qui nous éviterait de
devoir affronter ce problème redoutable: avoir à
voter, donc à nous diviser entre concitoyens, pour
décider qui nous acceptons et qui nous refusons de
garder comme concitoyens.

Une conception individualiste des nations

Cette méthode de cohabitation entre communautés existe et elle a fait ses preuves, puisque
c'est celle que les pays occidentaux ont appliquée,
presque toujours avec succès, au problème des conflits entre communautés religieuses. Du XVIᵉ au
XIXᵉ siècle, ces conflits ont été en Europe ceux qui
avaient les conséquences les plus graves. Aujourd'hui
ils sont presque complètement pacifiés, grâce à
l'application de deux principes: la laïcité de l'État et
le caractère individuel de l'appartenance religieuse.

Ces principes ne sont pas institutionnalisés
partout de la même façon. Dans la France de l'Ancien

Régime, le catholicisme était religion officielle. Par le Concordat de 1801, l'État non confessionnel a reconnu un statut officiel à trois religions, le catholicisme, le protestantisme et le judaïsme. En 1905, la loi de séparation des églises et de l'État a mis fin à ce régime. Les églises sont devenues des associations de droit privé à participation volontaire, sauf dans les trois départements de l'Est qui appartenaient à l'Allemagne en 1905 et où le régime concordataire s'applique encore aujourd'hui.

En Grande-Bretagne, comme toujours, le rapport est paradoxal entre l'apparence et la réalité. La reine est le chef de l'Église anglicane quand elle est en Angleterre, le chef de l'Église presbytérienne quand elle est en Écosse, et n'a aucun titre religieux quand elle est au Pays de Galles, où il n'y a pas d'église établie. Il semble que ce relativisme confessionnel ait été une bonne méthode pour dépolitiser les religions. Celles-ci ont moins d'importance politique en Grande-Bretagne qu'en France, et depuis plus longtemps. L'Irlande du Nord est une autre histoire : l'exception la plus grave à la pacification en Occident des relations entre communautés religieuses.

Les législations varient d'un pays à l'autre, mais elles produisent toutes à peu près le même résultat, qui est aujourd'hui tenu pour normal par la plupart des Occidentaux. Les religions n'ont pas de droits. Les communautés religieuses n'en ont pas non plus, ou seulement ceux de n'importe quelle association de droit privé. Les individus ont des droits, celui d'avoir les croyances ou les opinions religieuses de leur choix et celui de s'associer entre eux pour pratiquer une religion. Cet arrangement était la condition de la paix civile dans des sociétés où, depuis le XVIᵉ siècle au moins, il n'y a pas d'unanimité religieuse.

La situation des nations dans notre société ressemble beaucoup à celle des religions il y a deux siècles. Certains d'entre nous ressentent très fortement leur appartenance à une nation. Ils ont des « racines » dont ils sont fiers et une « identité » qui réside dans les traits culturels qu'ils partagent avec leurs voisins et qui les distinguent des humains qui vivent à 500 kilomètres de là. D'autres ont à peu près les mêmes racines, mais ils pensent qu'il est un peu ridicule d'être fier de quelque chose qu'on n'a rien fait pour obtenir. Et ils sont incertains de leur identité, parce qu'ils ont le sentiment d'avoir, dans leur vie, partagé des choses beaucoup plus importantes avec des Allemands ou des Chinois qu'avec ceux qui sont nés dans le même village qu'eux. Il y a enfin tous ceux qui ont des racines et une identité, mais différentes de celles des premiers.

Cela ressemble à la France du XIXᵉ siècle, avec ses catholiques pratiquants, ses ex-catholiques mécréants ou violemment anticléricaux, ses protestants et ses juifs. Pour que la paix civile y soit possible, il a fallu que les premiers renoncent à affirmer, comme une évidence incontestable, que la majorité des Français étant catholique la France est et doit être un pays catholique. Ça a pris du temps et ça n'a pas été facile. Je crois que, de la même façon, les majorités nationales devront à l'avenir avoir la générosité d'accepter de vivre dans des États qui ne soient pas ceux d'une nation particulière, des États *anationaux* comme les États laïcs sont *areligieux*.

Cet objectif est assez proche de celui que visent

les partisans d'un nationalisme civique québécois, dont j'ai parlé plus haut. Je rappelle pourquoi je pense que leur projet ne résisterait pas à la séparation. Il n'y a aucune raison de préférer le nationalisme civique québécois au nationalisme civique canadien, ni de préférer le nationalisme civique d'un Québec indépendant au nationalisme civique du Québec fédéré, sauf en invoquant des considérations identitaires. En outre, les mots «nation» et «nationalisme» ont une racine et un sens apparentés à ceux du mot «naissance», ce qui renvoie, par une sorte de réflexe linguistique, à la conception identitaire de la nation. Le civisme, c'est-à-dire la solidarité entre concitoyens, est suffisant pour permettre à un État d'exister, sans qu'il soit nécessaire d'y ajouter une référence communautaire.

Il n'en résulte pas que ceux qui ressentent l'appartenance à une nation doivent y renoncer. Ils devraient seulement renoncer à la volonté d'instituer cette nation dans un État. Les nations devraient apprendre, comme certaines religions l'ont fait avant elles, à exister comme des groupements volontaires : les nations n'auraient pas de droits ; les individus auraient le droit de s'organiser pour défendre et promouvoir l'idée qu'ils ont de leur identité nationale ; les États ignoreraient les nations et ne connaîtraient que des citoyens. Les talents et les ressources ne manquent pas au Québec pour faire vivre et prospérer une nation dans un tel cadre institutionnel.

De ce cadre institutionnel, le régime fédéral dans lequel nous vivons aujourd'hui est une approximation paradoxale, un peu comme les titres religieux multiples de la reine en Grande-Bretagne sont une manière paradoxale de produire les mêmes résultats qu'un État laïc. Ceux d'entre nous qui sont nationalistes québécois peuvent considérer le gouvernement de Québec comme *leur* gouvernement *national,* et celui d'Ottawa comme une sorte de Commission du Marché commun aux fonctions purement utilitaires. Ceux qui sont nationalistes canadiens peuvent placer leur fidélité prioritaire dans le gouvernement d'Ottawa, et voir dans celui de Québec une sorte de grosse municipalité, purement utilitaire elle aussi. Et certains peuvent même faire un investissement symbolique ou sentimental dans les deux gouvernements. Cela peut marcher, si aucun des deux nationalismes ne veut s'imposer comme le seul légitime et si aucun des deux gouvernements ne cherche à supprimer l'autre.

C'est pourquoi je ne recommande pas que la conception individualiste des communautés et des nations qui est la mienne soit reconnue officiellement au Canada par une nouvelle réforme constitutionnelle. Les institutions des sociétés humaines sont, comme les écosystèmes naturels, des ensembles complexes dont le fonctionnement n'est ni entièrement connu ni entièrement prévisible. Quand on y touche, on risque toujours de provoquer des effets imprévus et indésirables, ce que nos réformateurs constitutionnels de 1982, 1987 et 1992 ont eu tendance à oublier. Par conséquent, les petites réformes progressives sont presque toujours préférables aux grandes déclarations de principe et aux chambardements qui prétendent inaugurer une ère nouvelle.

Mais l'évolution de nos institutions, même si elle

est prudente et progressive, peut aller dans la direction du renforcement de la conception individualiste des communautés, que nous pratiquons déjà pour plusieurs d'entre elles, ou dans celle d'une plus grande institutionnalisation juridique de certaines communautés. Si l'évolution va dans la première direction, elle aura des effets bénéfiques pour le fonctionnement de la démocratie et pour la paix civile. Au contraire, si l'évolution va dans le sens de la reconnaissance juridique de certaines communautés, elle entraînera des difficultés supplémentaires pour le fonctionnement de la démocratie, ainsi que des risques de conflits plus graves entre nous. Je vais montrer pourquoi dans les pages suivantes.

Individualisme et démocratie

L'individualisme a une assez mauvaise réputation. Il est souvent confondu avec l'idée que chacun doit faire passer toujours son propre intérêt avant tout. Ce n'est pas de cela qu'il s'agit ici, mais d'un *individualisme juridique,* pour lequel seuls les individus peuvent être des sujets primaires de droits : les groupes, associations, entreprises ou collectivités territoriales ne peuvent avoir des droits que par dérivation, quand ceux-ci sont nécessaires à la préservation des droits des individus.

Cet individualisme est presque certainement indispensable au bon fonctionnement d'un régime politique démocratique, parce qu'il est indissociable de l'idée d'égalité de droits et parce qu'il est nécessaire au bon fonctionnement d'un système de désignation des gouvernants par élection.

L'égalité est une valeur essentielle en démocratie.

Elle est aussi, à notre époque, le moteur le plus
puissant des passions politiques. Dans notre pays
comme ailleurs dans le monde, ceux qui protestent
ou se révoltent le font presque toujours en tenant un
discours du type suivant : « Ce que vous me faites est
injuste, puisque vous n'agissez pas ainsi envers tel ou
tel autre. » La structure de cet argument, on la
retrouve chez ceux qui contestent le régime d'imposi-
tion des pensions alimentaires comme chez ceux qui
pensent qu'on n'aurait pas dû faire la guerre à
Saddam Hussein en 1991. Par conséquent, l'idée
d'égalité de droits, ou que la loi doit être la même
pour tous, est au cœur de l'idée que nous avons de
la justice. Comme l'écrivait Tocqueville il y a un
siècle et demi, aucune autre valeur ne peut entrer en
conflit avec l'égalité sans être détruite par elle.

Entre les individus, l'égalité de droits est souvent
difficile à mettre en œuvre, et ses conséquences
pratiques sont parfois peu évidentes quand elle est
appliquée à des personnes qui sont dans des situations très différentes. Mais l'égalité entre individus est
assez facile à concevoir et il n'est pas impossible de
rédiger des lois qui en respectent le principe. Il est
possible aussi de concevoir l'égalité entre des groupes,
ou entre des catégories sociales, si celle-ci est
comprise comme l'égalité entre les individus quelle
que soit la catégorie à laquelle ils appartiennent.
Ainsi, la revendication d'égalité entre les catholiques
et les protestants a signifié dans le passé la revendication des mêmes droits pour les individus membres
de ces deux religions. L'égalité entre les Noirs et les
Blancs a signifié les mêmes droits pour les individus
quelle que soit la couleur de leur peau.

Mais, par une sorte de glissement de sens, certains se sont mis à croire que l'égalité entre les catholiques et les protestants, ou entre des groupes quelconques, devait signifier aussi l'égalité entre ces groupes en tant que tels. Cela, bien sûr, sans renoncer pour autant au principe sacré de l'égalité entre les individus, ce qui crée un problème complètement insoluble. Si on proclame l'égalité entre la collectivité des catholiques et celle des protestants, certains parmi ces derniers vont protester : il y a plusieurs églises protestantes, et c'est chacune d'entre elles qui devrait être reconnue comme l'égale de l'Église catholique. Ensuite des musulmans et d'autres vont rappliquer afin de demander, eux aussi, l'égalité pour leurs communautés respectives. Imaginons qu'un législateur décide de faire une loi exhaustive proclamant l'égalité entre tous les groupes religieux connus, y compris les bouddhistes du Grand Véhicule et ceux du Petit. Ces derniers risquent de protester, parce qu'ils n'ont pas du tout, de leur propre communauté, une idée semblable à celle que les chrétiens ou les musulmans ont de la leur, et qu'ils perçoivent la reconnaissance qu'on leur impose comme une discrimination.

Il est inutile de continuer à utiliser un exemple imaginaire. Nous, Canadiens, avons depuis quelques années fait la démonstration des absurdités auxquelles on arrive quand on essaie de codifier l'égalité entre des groupes en tant que groupes. Nous nous souvenons de l'argument des « deux peuples fondateurs », et de l'effet, prévisible, qu'il a eu sur les Amérindiens. Au nom de l'égalité entre les provinces, on a essayé de créer un sénat élu, qui aurait institué une inégalité massive entre les électeurs vivant dans les différentes provinces, inégalité qu'on aurait corrigée en rendant plus inégalitaire l'élection de la Chambre des communes. Certains nationalistes québécois tiennent pour évident qu'il est ridicule que le Québec soit une province sur le même pied que l'Île-du-Prince-Édouard. Et pourtant, le Québec indépendant qu'ils souhaitent deviendrait à l'ONU l'égal des Iles Maldives ; ce qui montre bien que l'égalité entre les groupes humains en tant que groupes n'est pas un principe mais une règle contingente.

Puisque nous ne voudrons pas, avec raison, renoncer à l'égalité entre les individus, ces problèmes ne peuvent avoir qu'une solution. Il faut poser en principe l'égalité de droits entre les individus, quels que soient les groupes ou les catégories auxquels ils appartiennent. Et il faut traiter l'égalité entre les groupes comme une question d'opportunité et de prudence et non pas de principe. Nous avons déjà au Canada des provinces et des territoires, nous pourrions avoir trois catégories différentes de provinces. Je pense que ce ne serait pas une bonne idée, mais cela ne violerait aucun principe.

Les différences de statut juridique entre les associations, les entreprises ou les collectivités territoriales sont acceptables si on peut montrer qu'elles ont des avantages pratiques et si elles n'entraînent pas de différences de statut entre les personnes. Pour que cette dernière condition soit remplie, il suffit généralement de préserver la liberté de circulation. Des différences de statut entre plusieurs types de municipalités ou plusieurs types de provinces auraient peut-être des inconvénients. Mais elles ne créeraient pas d'inégalités de statut entre nous si chacun garde la possibilité de choisir le lieu de sa résidence et y est toujours pleinement reconnu comme citoyen.

En résumé : l'égalité de droits est un principe fondamental en démocratie ; cette égalité peut être codifiée entre les personnes ; elle ne peut pas l'être entre les groupes en tant que groupes. C'est la première raison pour laquelle l'individualisme juridique est nécessaire dans une démocratie.

Communautés et partis politiques

La deuxième raison pour laquelle l'individualisme est nécessaire à la démocratie est le mécanisme qui permet la prépondérance des modérés sur les radicaux. Comme nous l'avons vu plus haut, celle-ci est rendue possible par la mobilité des électeurs modérés entre deux ou plusieurs partis politiques. Là où des appartenances communautaires rigides entravent cette mobilité, la loi de la majorité a des conséquences passablement désastreuses, qu'on peut observer, par exemple, en Irlande du Nord entre 1921 et 1972.

À la suite de la partition de l'Irlande, le nord de l'île a continué à faire partie du Royaume-Uni et a été doté d'un statut d'autonomie, d'un parlement élu au scrutin majoritaire et d'un gouvernement responsable, régime politique ressemblant à celui qui existe dans plusieurs autres pays démocratiques, y compris le nôtre. En Irlande, être catholique ou protestant n'est ni une opinion ni une conviction individuelles, mais une appartenance communautaire qu'on acquiert à la naissance et dont il est difficile de changer. Selon une formule classique, en Irlande du Nord les athées sont soit des athées catholiques soit des athées protestants. L'appartenance religieuse détermine, entre autres choses, le vote. Les protestants étant presque les deux tiers de la population, le Parti unioniste, qui était assuré de leurs votes, a monopolisé le gouvernement jusqu'à ce que Londres tente d'imposer en 1972 de nouvelles règles du jeu.

Cette situation a eu deux conséquences dramatiques. Dans la communauté protestante, elle a paralysé complètement les mécanismes qui permettent d'habitude la prépondérance des modérés sur les radicaux. Le Parti unioniste n'avait aucun besoin de chercher à gagner les voix des catholiques modérés, qu'il n'aurait d'ailleurs eu aucune chance d'obtenir. Donc, les unionistes modérés étaient privés de ce qui aurait dû faire leur force, leur capacité de prendre des voix au parti adverse. En conséquence, ce sont les unionistes les plus convaincus et les plus motivés, les radicaux, qui exerçaient l'influence la plus décisive sur les gouvernements, les incitant à pratiquer envers les catholiques des politiques de méfiance et de discrimination spécialement bornées.

Pour les catholiques, hostiles en 1921 à la partition de l'Irlande et à l'établissement du parlement de Belfast, celui-ci n'avait aucune chance de devenir légitime, puisqu'ils y étaient irrémédiablement dans l'opposition. Comme nous l'avons vu précédemment, nous acceptons la légitimité d'une décision prise par un vote que nous avons perdu parce que nous savons qu'il y aura d'autres votes et que parfois nous pourrons gagner. Il n'y a aucune raison d'accepter les règles d'un jeu quand celles-ci déterminent à l'avance avec certitude que nous serons toujours du côté des

perdants. La loi de la majorité est une règle acceptable à condition que la majorité en question soit,
comme le célèbre moulin, un lieu où chacun entre
et d'où chacun sort comme il veut. Là où la majorité et la minorité politiques sont confondues avec des
communautés identitaires, la loi de la majorité devient une des pires oppressions.

En 1972, le gouvernement britannique modifie
certaines des règles du régime d'Irlande du Nord,
dont la loi électorale. Une nouvelle assemblée est élue
en juin 1973 à la représentation proportionnelle. Ce
mode de scrutin permet une augmentation du nombre
des élus catholiques et introduit surtout une division
dans l'électorat protestant, entre un parti radical et un
parti modéré. Un gouvernement de coalition est mis
en place, fondé sur l'alliance entre le Parti social-
démocrate et travailliste, majoritaire dans l'électorat
catholique, et le Parti unioniste modéré, dont le chef
devient premier ministre. Les unionistes radicaux
forment l'opposition.

Cette formule était sans doute une bonne idée :
l'alliance de la majorité politique de la communauté
religieuse la moins nombreuse avec la minorité de la
communauté la plus nombreuse. Les catholiques cessent ainsi d'être complètements exclus du pouvoir.
Le premier ministre reste un membre de la communauté protestante, ce qui devrait rassurer celle-ci.
Surtout, les résultats des élections ne sont plus
déterminés par le rapport numérique entre les deux
communautés, qui résulte de la démographie, mais
par la mobilité des électeurs entre modérés et radicaux à l'intérieur de la communauté protestante,
mobilité qui dépend de décisions individuelles. Si cet

arrangement avait duré, il aurait conduit à la prépondérance des modérés sur les radicaux qui permet
d'habitude aux démocraties de fonctionner. En mai
1974, les radicaux protestants ont organisé une grève
générale qui a provoqué la chute du gouvernement
de coalition.

Il est intéressant de noter que la formule qui a
échoué en 1974 en Irlande du Nord ressemble à celle
qui fonctionne avec d'assez bons résultats depuis
longtemps au Canada. Dans notre pays, les comportements électoraux ont été longtemps influencés par
la religion et le sont aujourd'hui par la langue, mais
les limites des partis ne correspondent pas à celles
des groupes confessionnels ou linguistiques. Pour for-
mer un gouvernement, il faut presque toujours être
capable de réaliser une alliance entre la majorité des
représentants de la communauté la moins nombreuse
et la minorité de ceux de la communauté la plus
nombreuse. Pendant longtemps c'était la spécialité du
Parti libéral. À Ottawa il était une coalition entre
presque tous les élus du Québec et au moins une
minorité importante de ceux des autres provinces
(dans les années 1980 les conservateurs lui ont volé
la recette). À Québec il réunit presque tous les élus
des anglophones et au moins une minorité importante de ceux des francophones. Plus que toute
autre chose, c'est sans doute ce qui explique que,
dans notre pays, les relations entre les communautés
ne sont jamais devenues aussi détestables qu'en
Irlande du Nord.

Cette façon de structurer la vie politique a eu
quelques inconvénients. Au niveau fédéral, elle a
permis à un parti de s'éterniser au gouvernement et

de s'y ankyloser. Confinés trop longtemps dans l'opposition, ses adversaires faisaient preuve d'un amateurisme excessif dans les rares occasions où ils arrivaient au pouvoir. Mais l'essentiel était préservé, la prépondérance des modérés sur les radicaux. Elle est restée possible parce que beaucoup d'électeurs ont conservé leur mobilité entre des partis politiques qui ne se sont jamais confondus avec des groupes confessionnels ou linguistiques. Nous avons donc été gouvernés, la plupart du temps, soit par des francophones capables d'obtenir les votes d'électeurs anglophones, soit par des anglophones capables d'obtenir les votes d'électeurs francophones. Un tel arrangement était indispensable pour qu'une démocratie fonctionne de manière continue au Canada.

L'histoire de la Belgique depuis une trentaine d'années montre ce qui arrive quand un tel arrangement se détraque. Depuis 1963 ce pays a connu plusieurs réformes législatives ou constitutionnelles destinées à renforcer les barrières sociales entre les deux principales communautés linguistiques, flamande et francophone. Ces réformes ont été faites en réponse à des revendications présentées par des dirigeants communautaires, flamands le plus souvent. Mais, après chaque réforme, il est apparu que celle-ci, loin d'apaiser les revendications communautaires, ouvrait la voie à de nouvelles demandes plus radicales. Aujourd'hui, la plupart des mouvements politiques belges se sont divisés en un parti flamand et un parti francophone; sur certains sujets, les votes au parlement doivent se prendre en comptant séparément les voix des députés selon la langue de leurs électeurs; on envisage d'organiser les politiques sociales sur une base communautaire et de supprimer les transferts de solidarité entre concitoyens de langues différentes.

Il est assez facile de comprendre ce qui a produit ce résultat. La Belgique d'avant 1960 était gouvernée par des politiciens francophones capables d'obtenir les votes d'électeurs flamands et par des politiciens flamands capables d'obtenir les votes de francophones. Ils étaient organisés dans des partis bilingues définis par des critères idéologiques, libéral, socialiste, social-chrétien, etc. Depuis 1963, toutes les réformes renforçant la séparation des communautés linguistiques et leur autonomie ont eu pour conséquence de diminuer la nécessité pour un homme politique d'obtenir des voix en dehors de sa communauté d'origine. En conséquence, la Belgique est aujourd'hui gouvernée par des gens qui continuent à être des modérés, socialistes ou libéraux, dans les domaines où il y a encore une mobilité individuelle des électeurs, mais qui le sont de moins en moins dans le domaine où cette mobilité a été réduite par les réformes institutionnelles, celui des relations entre les communautés linguistiques. Ainsi, chaque réforme destinée à satisfaire des revendications communautaires a augmenté l'influence électorale des radicaux flamands ou francophones au détriment de celle des partisans de politiques linguistiques modérées.

Il faut sans cesse rappeler quel est le secret le plus mal gardé de la démocratie. Celle-ci fonctionne parce qu'elle permet d'être gouverné par les politiciens de droite les moins antipathiques aux électeurs de gauche ou par les politiciens de gauche les moins antipathiques aux électeurs de droite, par les socialistes les plus libéraux ou par des libéraux qui ont des préoccupations de justice sociale. Là où existe un clivage communautaire, la démocratie doit, pour fonctionner, permettre qu'on soit gouverné par des francophones élus par des anglophones (au Canada), par des protestants élus par des catholiques (aux Pays-Bas mais pas en Irlande du Nord, pour le malheur de celle-ci), par des hindous élus par des musulmans (en Inde).

Il n'est pas souhaitable de faire disparaître les communautés, et éviter les conflits entre elles n'est pas toujours possible. Mais, quand un clivage communautaire existe dans une démocratie, il est impératif de l'empêcher de devenir l'élément central qui structure la vie politique. Il faut que les partis soient capables de trouver des électeurs dans plusieurs communautés. Il faut que les communautés puissent se diviser entre plusieurs partis. La confusion entre partis politiques et groupes identitaires devrait être considérée comme une faute morale. Elle est dans une démocratie aussi dangereuse que l'intolérance idéologique et plus dangereuse que la corruption par l'argent.

Pour que cette dissociation entre communautés et partis soit possible, il faut que la plupart des citoyens adoptent des comportements qui ne soient pas entièrement déterminés par les communautés dont ils sont membres. Ils doivent donc avoir une conception individualiste de celles-ci. Par conséquent, si nous voulons vivre en démocratie, il faut accepter d'être individualistes et d'avoir une conception individualiste des communautés. Même pour ceux qui ressentent très fortement un attachement communautaire, ce n'est pas si terrible.

Communautés et solidarité

On a souvent fait à l'individualisme l'objection qu'il ne tient pas compte de l'importance des communautés, qui sont un aspect essentiel de l'existence sociale des humains et sont nécessaires à la solidarité entre eux. Je dois y répondre rapidement.

Ma réponse à la première partie de l'objection est qu'il ne faut pas confondre l'importance d'un phénomène et la nécessité de l'instituer juridiquement. J'en donne un exemple : je pense, assez naïvement et banalement, que pour se marier il est important de s'aimer ; pourtant, la législation du mariage fixe des conditions d'âge ou de consentement mais ne dit rien de l'amour. Presque tout le monde accepte que celui-ci ne peut pas être codifié et qu'il n'en est pas pour cela moins important. Nous pensons seulement que le consentement est plus facile que l'amour à encadrer par des règles légales, et que vérifier le consentement des gens qui veulent se marier suffit pour que ceux qui s'aiment puissent le faire. C'est simple, prudent et, très souvent, ça marche.

De la même façon, je pense que les communautés sont très importantes. Elles sont, pour la plupart d'entre nous, un élément constitutif essentiel de notre personnalité et l'un des objets de nos investissements affectifs les plus forts. C'est justement pour cette raison qu'il est prudent de fonder les règles de la vie en société non sur les droits des communautés mais sur ceux des individus, y compris le droit pour ceux-ci d'appartenir à des communautés. L'expérience historique nous montre l'énorme masse de violence et d'injustice qu'a entraînée la volonté d'instituer juridiquement des communautés religieuses ou nationales. Et elle nous montre aussi que, dans certains pays, une législation individualiste a permis de pacifier les relations entre communautés religieuses. Puisque c'est simple, prudent, et que ça peut marcher, je suggère qu'on essaie de faire la même chose avec les communautés nationales.

Ma réponse à la deuxième partie de l'objection est que les communautés font obstacle à la solidarité aussi souvent qu'elles la favorisent. À son niveau le plus élémentaire, la solidarité entre les humains doit être universelle : chacun d'entre nous doit agir envers *tous* les autres comme il souhaite que les autres agissent envers lui. Il est clair que les appartenances communautaires représentent au moins un danger pour cette solidarité universelle.

Mais il est clair aussi que celle-ci ne peut pas être la seule forme de la solidarité. Ce serait un monde invivable que celui où les parents s'efforceraient d'agir envers leurs enfants de la même manière qu'envers tous les autres enfants. La famille est une communauté dont la solidarité préférentielle contribue au bien-être de toute l'humanité. Je crois cependant que, si les communautés sont souvent ce qui renforce ces nécessaires solidarités préférentielles, elles ne sont pas ce qui les justifie. Si un enfant est assis à côté de moi dans un avion qui a un accident, je ne dois pas me demander quel lien de parenté j'ai avec lui avant de l'aider à mettre son masque à oxygène. L'obligation de l'aider ne résulte en rien d'un lien communautaire, mais seulement du fait qu'il est assis à côté de moi et que je suis celui qui a la possibilité de l'aider. Cette idée est ancienne et banale,

elle se trouve dans l'Évangile, où cela s'appelle le
« prochain ». Nous n'avons pas d'obligation de solidarité préférentielle envers ceux qui ont la même
langue, la même religion ou la même origine que
nous, mais envers ceux qui se trouvent là où nous
avons des moyens d'agir.

Je me suis fait dans les pages précédentes le
défenseur de l'obligation de solidarité entre concitoyens. C'est une valeur nécessaire, qui deviendra
peut-être inutile quand existera une citoyenneté
mondiale effective. Elle n'est justifiée ni par l'origine
commune ni par les similitudes culturelles, ni par la
familiarité, mais seulement par le fait que des
concitoyens vivent sous des institutions communes
qui ont pour effet de rendre certaines de leurs actions
interdépendantes : les actions des uns ont des conséquences pour tous les autres, et réciproquement. La
solidarité entre concitoyens est du même type que
celle qui existe à bord d'un bateau. Celle-ci n'a pas
pour fondement l'existence de liens de parenté ou de
sympathie entre les membres de l'équipage. Elle est
une conséquence du bateau. Avant de décider de
devenir indépendants, nous avons évidemment
l'obligation de prendre en compte les conséquences
que cela aura pour les habitants de Vancouver ou
d'Halifax, pour la seule raison que cette décision aura
pour eux des conséquences.

Certains penseront que cette conception de la
solidarité est abstraite et désincarnée. Elle ne l'est pas.
Elle se vérifie assez bien en observant la réalité. Allez
en Sicile, où les liens communautaires sont puissants.
Vous y verrez une société incivique, où les lois sont
faibles et où l'intérêt général passe presque toujours

après celui des familles ou des clans. Allez au Danemark, société où la culture et le droit sont individualistes. Vous y verrez des écoles et des services publics dont la qualité résulte d'un sens très fort de la nécessaire solidarité entre concitoyens.

Plus près de nous, on pourrait penser qu'il est inévitable que le nationalisme québécois ait pour effet un certain égoïsme collectif, qui est un obstacle à la solidarité entre les Québécois et les autres Canadiens, mais qu'en contrepartie il a l'avantage de renforcer la solidarité des Québécois entre eux.

Je vois bien l'égoïsme collectif. Ou plutôt je l'entends dans le discours que me tiennent ceux de mes étudiants (rares) qui me reprochent d'être fédéraliste. Les conséquences qu'aurait la séparation du Québec pour les habitants de Vancouver ? C'est leur problème. Les conséquences pour les francophones qui vivent dans les autres provinces ? De toute façon ils sont condamnés à disparaître. Les conséquences pour les provinces maritimes ? Tant pis pour elles si elles sont mal placées. Les conséquences pour les nombreux habitants du Québec qui tiennent absolument à rester canadiens ? Il n'y aura pas de problème, puisque la plupart d'entre eux s'en iront. Ces réponses me sont faites sur un ton un peu protecteur, par des jeunes gens qui sont persuadés que ce sont des évidences naturelles. On ne leur a jamais dit qu'il existe des conceptions de la vie en société différentes de celle-là.

Il n'y a pas une syllabe d'exagération dans le paragraphe précédent. Beaucoup de nationalistes ont en horreur ces conceptions étroites et mesquines, mais celles-ci constituent toute la vision du monde de certains d'entre eux. Telle est l'ampleur du désastre intellectuel que peut produire le fait d'être exposé en permanence au même discours simplificateur et dogmatique, ce qui est le cas du discours nationaliste pour une partie de la jeunesse du Québec.

Mais je ne vois pas bien cette solidarité supplémentaire entre Québécois que devrait favoriser le nationalisme. Je ne vois pas une inégalité économique moins grande que dans les autres provinces canadiennes, des riches moins égoïstes et des pauvres vivant dans des conditions plus dignes, des hôpitaux plus humains ou des écoles plus sérieuses. Même dans le domaine symboliquement si important de la langue, je ne vois aucune retombée positive du nationalisme. Au nom de la défense de la langue on a dépensé beaucoup d'énergie pour essayer d'empêcher des commerçants d'afficher ce qu'ils veulent, mais le procédé le plus utilisé par la publicité gouvernementale reste le calembour (le premier prix de niaiserie revient à «Forêt Y voir», affiché le long de certaines routes dans les régions boisées). Les écoles continuent à envoyer dans les universités des étudiants dont environ le quart sont des handicapés linguistiques, incapables de bien comprendre ce qu'ils lisent et de communiquer par écrit dans quelque langue que ce soit.

La conception individualiste de la nation et anationale de l'État est préférable parce qu'elle ne comporte aucune incompatibilité avec la démocratie et ne présente pas de danger pour la paix civile. C'est la raison principale pour laquelle elle est vivement souhaitable. Mais j'ai l'impression qu'elle pourrait avoir aussi des effets très intéressants pour la solidarité entre Québécois.

On renoncerait à faire croire que la solution de tous les problèmes passe nécessairement par une augmentation des pouvoirs des fonctionnaires et des hommes politiques qui siègent dans des ministères à Québec. Les nationalistes s'organiseraient en associations, pour animer les différents secteurs de la vie sociale, et en partis politiques, non plus pour changer la structure de l'État mais pour influencer la façon dont nous sommes gouvernés. La motivation que donne la défense de l'identité nationale pourrait servir à rendre les fonctionnaires plus imaginatifs, les enseignants plus consciencieux, et à limiter l'égoïsme corporatif des médecins. On pourrait même recommencer à entretenir les routes.

Ce nationalisme cesserait d'être vu par ceux qui ne le partagent pas comme une menace pour leur citoyenneté. Il pourrait même susciter leur admiration, s'il devenait évident qu'il a des effets positifs pour le fonctionnement de l'ensemble de la société. Les Québécois non nationalistes et les Canadiens des autres provinces se mettraient à envier un peu les Québécois nationalistes pour leur dynamisme communautaire. Je n'ai pas de religion, mais j'aime voir les foules endimanchées qui sortent des pagodes ou des églises. Elles sont, dans les pays où les individus sont libres en matière de religion, un signe de bonne santé de la société.

Cette transformation du nationalisme aurait un autre avantage. Il y a évidemment beaucoup moins d'une chance sur deux qu'une tentative de séparation réussisse et que le Québec devienne effectivement indépendant. Un échec est bien plus probable. Et le danger existe que cet échec brise pour longtemps le dynamisme de la communauté nationale québécoise. Renoncer à l'idée que son avenir dépend d'un bouleversement des structures de l'État dans lequel nous vivons protégerait aussi cette communauté contre ce danger-là.

Si j'étais un politicien obligé de réduire son intervention aux deux minutes qui peuvent passer aux informations télévisées, je retiendrais ce qui suit. Ce n'est pas le résumé de tous mes arguments ; c'est celui d'entre eux qui me semble le plus décisif. Il devrait, à lui seul, nous faire réaliser que la séparation n'est pas souhaitable.

Si une majorité de Québécois vote en faveur de la séparation et si celle-ci a lieu, il restera entre 25 % et 45 % des habitants d'un Québec indépendant qui seront mécontents ou furieux de ne plus vivre au Canada. Leur insatisfaction sera pour le nouvel État un problème plus grave que ne l'est aujourd'hui, pour le Canada, l'insatisfaction des indépendantistes québécois.

Pour les Québécois qui ne veulent pas de la séparation, celle-ci serait une injustice. En effet, c'est depuis longtemps un des principes de notre société que, par un vote à la majorité, on peut désigner des gouvernants ou adopter des lois, mais on n'a pas le droit de modifier les règles fondamentales de notre régime politique.

S'il y a un jour une majorité favorable à l'indépendance, elle devrait reconnaître qu'elle n'a pas le droit, sur un point comme celui-là, d'imposer sa volonté. Si elle s'efforce quand même de le faire et y parvient, elle découvrira ensuite que ce n'était pas une bonne idée, parce que c'est un malheur d'avoir à vivre dans un État dont plus du quart des habitants refusent la citoyenneté ou ne l'acceptent qu'à contrecœur.

Table des matières

Les nationalismes   15

Nationalisme civique et
    nationalisme identitaire   17
Nationalisme canadien-français et
    nationalisme québécois   21
Quelques arguments en faveur
    d'un nationalisme québécois   29
Les conséquences politiques des
    différences culturelles   36

Pourquoi on devient indépendant   41

Les indépendances pour cause d'inégalité   42
Les indépendances pour cause d'insécurité   46
Les indépendances pour d'autres raisons   53

Comment on devient indépendant   61

Le partage des ressources   62
La continuité du droit   66
L'intégrité du territoire   71

La citoyenneté 76

Les mésaventures de l'autodétermination 83

La loi de la majorité 84
Un vote doit se situer dans une continuité 89
On ne doit pas décider par un vote
    qui a le droit de vote 97
Le nationalisme n'est pas universalisable 102
Les risques de violence 109

Les communautés en démocratie 117

Une conception individualiste des nations 118
Individualisme et démocratie 123
Communautés et partis politiques 127
Communautés et solidarité 134

MISE EN PAGES ET TYPOGRAPHIE :
LES ÉDITIONS DU BORÉAL

ACHEVÉ D'IMPRIMER EN FÉVRIER 1995 SUR LES PRESSES
DE AGMV, À CAP-SAINT-IGNACE, QUÉBEC.